piccola storia d'Italia

breve manuale di storia con spiegazioni e adattamenti
anche ad uso degli stranieri

con nota all'autore di Roberto Gervaso

Guerra Edizioni

ISBN 88-7715-470-5

Via A. Manna, 25 - 06132 Perugia

Fotocomposizione e stampa:
Guerra guru srl - Perugia

All'Autore

Caro Gianluigi Ugo,

dopo aver letto la sua storia del nostro Paese, a uso e consumo non solo degli stranieri ma – a mio giudizio – anche degli italiani, avrei voluto farle una piccola prefazione.

Ci ho rinunciato, e non solo perché le prefazioni, che nessuno, o quasi, legge, riescono, talvolta, ad annoiare anche chi le scrive.

Invece di due paginette convenzionali e banali, preferisco buttarle giù quattro righe. Ma non solo con la penna: anche, anzi, sopratutto col cuore.

Il suo è un libro di piacevole lettura e di grande utilità. Di piacevole lettura è lo stile: limpido, netto, senza fronzoli.

Di grande utilità perché la storia che la scuola – e non solo la scuola – da anni, anzi, da sempre ci ammannisce, è quanto di più ostico e indigesto si possa immaginare.

Se la storia sia maestra di vita non so, ma ho forti dubbi che lo sia, visti gli errori che l'uomo seguita impavido e, spesso, impunito, a commettere. Quello che so è che la storia è un romanzo affascinante, che tutti dovrebbero conoscere. Come mostra di conoscerla lei.

Letto il suo volume, non l'ho relegato in uno dei tanti scaffali della mia libreria. L'ho messo sul comodino, come un vecchio amico.

Quale sicuramente è anche il suo autore, che con ricon oscenza, e anche con un po' d'invidia, ricordo e abbraccio.

Suo Roberto Gervaso

Introduzione

In questo libro sono riassunti quasi tre millenni di storia italiana, dai fatti che precedettero la fondazione di Roma a tutto il XX secolo dell'èra cristiana.

Il testo è diviso in quattro parti, che corrispondono alle quattro fondamentali età storiche che hanno interessato l'Italia: l'*età antica*, il *medioevo*, l'*età moderna*, l'*età contemporanea*. Ogni parte comprende diversi brevi capitoli, che illustrano in un linguaggio il più possibile semplice fatti e situazioni in cui l'Italia è stata direttamente o indirettamente coinvolta.

Particolare attenzione è stata rivolta all'uso di questo volume da parte di coloro che studiano l'italiano. Sono state perciò evidenziate in corsivo voci che si riferiscono a specifici argomenti storici o che si presume possano presentare qualche difficoltà per i lettori non ancora del tutto padroni della lingua. In questo secondo caso esse sono immediatamente seguite da una breve spiegazione tra parentesi sul loro significato. Inoltre, i nomi italiani di alcune località di importanza storica sono seguiti dalla loro traduzione (fra parentesi) nelle lingue in cui esse sono egualmente note.

Si tratta certamente di un'opera adatta a chi vuole migliorare il proprio italiano avvicinandosi per la prima volta alla storia d'Italia e vorrà eventualmente approfondirne la conoscenza in futuro; ma è pure lo strumento per chi, dopo lunga assenza dai libri di storia, vuole riscoprire in modo rapido e discorsivo uomini e fatti che hanno costruito i destini di questo paese.

L'ETÀ ANTICA

Prima di Roma - Il nome «Italia»
Gli Etruschi
Tra storia e leggenda
Roma repubblicana
Crisi della Repubblica
Tra Repubblica ed Impero. Ottaviano Augusto e il suo Governo
L'Impero
Crisi e fine dell'Impero
Le grandi invasioni e la fine dell'Evo Antico

Prima di Roma - Il nome «Italia»

Nei tempi antichi (VI secolo *a.C.: avanti Cristo*, cioè prima della nascita di Gesù Cristo, che segna l'inizio della nostra èra) il nome *Italia* indicò solamente l'estrema parte sud-occidentale della penisola, di fronte alla Sicilia.

Successivamente il nome fu esteso ad un territorio sempre più vasto e, all'inizio del III secolo (gli anni ed i secoli prima di Cristo si contano all'indietro), esso indicava ormai la parte meridionale dello "stivale" (forma approssimativa della penisola italiana). Ma già a metà dello stesso secolo si chiamava *Italia* tutto ciò che si trovava a sud del fiume Arno e del Rubicone (piccolo fiume a sud-est della grande pianura padana, che sfocia nel mar Adriatico), mentre alla fine di esso l'Italia, intesa come realtà geografica, era ormai quella attuale.

Prima della sua unificazione politico-amministrativa ad opera di Roma, l'Italia era un vero mosaico di popolazioni e di piccoli stati costituiti da singole città.

Colonie cartaginesi sorgevano sulle coste della Corsica, della Sardegna (Cagliari) e su quella nord-occidentale della Sicilia (Palermo), mentre, lungo le coste dell'Italia meridionale, compresa la Sicilia sud-orientale, vi erano fiorenti colonie greche. Queste ultime (Taranto, Sibari, Crotone, Siracusa, Agrigento, ecc.) si erano formate per lo più tra l'VIII e il VII secolo e prosperarono a lungo come importanti centri commerciali e culturali, tanto che quella parte dell'Italia fu spesso nota con il nome di *Magna* (Grande) *Grecia*, mentre i Greci la chiamarono *Esperia*, ossia "terra della sera", perché, rispetto alla Grecia propriamente detta, essa era ad occidente, cioè in direzione del sole al tramonto.

All'estremo nord e all'estremo sud della costa adriatica vivevano i Veneti e gli Iapigi, popolazioni simili agli Illiri, che abitavano sulla sponda opposta. La pianura padana, percorsa dal Po e dai suoi affluenti, era abitata in gran parte da genti di origine *gallica*, ovvero *celtica*, e dai Veneti che ne occupavano la parte più orientale. Eccetto l'Etruria, l'Italia centrale e la parte interna dell'Italia meridionale, erano abitate da popolazioni così dette *italiche*. Esse erano gli Umbri, i Piceni, i Sabini, i Latini (progenitori dei primi Romani), i Sanniti, i Campani, gli Apuli, ed altri ancora.

Altrove, per esempio in Sardegna, vivevano popoli di origine nemmeno indoeuropea, mentre tra il fiume Po e la sponda settentrionale del mar Tirreno vi erano i Liguri, dai quali la regione prese il nome di *Liguria*.

Gli Etruschi

Questi abitarono per lo più l'Etruria (la futura Toscana), ma giunsero pure in Val Padana ed anche più a nord, nel futuro Trentino (valle di Non). La loro civiltà fiorì per circa un millennio, tra il IX secolo a.C. e il I secolo *d.C.* (*dopo Cristo*). Il periodo di maggior fulgore fu, più o meno, il VI secolo a.C., mentre la loro maggiore espansione territoriale raggiunse, da un lato, la valle del Po, ove venne fondata Mantova, e, dall'altro, parte dell'Italia meridionale.

Tuttavia le conquiste degli Etruschi ebbero breve durata. Infatti le loro colonie, legate alla patria d'origine da vincoli economici e religiosi, ma non politici, furono facilmente travolte dalle ribellioni dei popoli indigeni precedentemente sottomessi. Seguì la definitiva conquista ad opera di Roma.

Nonostante la perdita dell'indipendenza, gli Etruschi esercitarono una notevole influenza sui loro conquistatori, tanto che due re di Roma furono etruschi. Inoltre, molti giovani dell'aristocrazia romana si recarono in città etrusche per apprendere l'arte e la letteratura. Nel 90 (sempre a.C.) gli Etruschi ricevettero la regolare cittadinanza romana.

Dunque il rapporto tra Romani ed Etruschi non fu unicamente quello tra conquistatori e conquistati, ma ci fu, sotto certi aspetti, un processo di integrazione dei secondi con i primi. Ad ogni modo, con il passare del tempo, la lingua e la cultura etrusca si persero e furono dimenticate.

L'origine degli Etruschi è incerta. Secondo alcuni storici, essi sarebbero giunti in Italia dall'Asia Minore, secondo altri, dall'Europa settentrionale, per altri ancora, dall'Italia stessa. Più verosimile pare, invece, l'ipotesi che essi derivassero dalla mescolanza avvenuta in Italia tra popolazioni precedentemente giunte nella penisola sia dall'Asia Minore che dal Nord-Europa.

Essi furono particolarmente dediti all'estrazione e alla lavorazione dei metalli; erano esperti nella produzione di oggetti in ceramica. Ebbero una notevole preparazione nell'architettura, tanto che gli stessi Romani appresero da loro nuove tecniche per la costruzione di strade, archi, fognature, nonché la progettazione di edifici pubblici, templi e persino città.

Gli Etruschi prediligevano il teatro, la musica e la danza. La loro letteratura era molto apprezzata dai Romani.

Della loro lingua si sa che essa, come le più note lingue classiche, prevedeva l'uso dei casi e della declinazione, mentre l'alfabeto era una variante di quello greco, frutto di costanti relazioni con le città elleniche.

Considerevole fu la posizione della donna nella vita civile etrusca, il che, se si pensa alle condizioni femminili in periodi storici successivi, denoterebbe un avanzato grado di civiltà di quel popolo.

La religione etrusca era una religione *politeista*, poiché non vi era un solo dio, bensì tante divinità, la cui volontà era interpretata da una particolare casta di sacerdoti, mediante l'osservazione dei fulmini e l'esame delle viscere degli animali che venivano di volta in volta offerti in sacrificio a tali divinità.

Sul piano politico, gli Etruschi non costituirono mai uno stato unitario: come le città greche, anche le loro furono delle *città-stato*, tra loro indipendenti e spesso rivali. Soltanto occasionalmente esse erano riunite in leghe che avevano soprattutto scopi difensivi.

Questa mancanza di coscienza nazionale unitaria permise, in seguito, ai Romani di conquistarle con relativa facilità.

Quando non si ebbe assimilazione con i nuovi padroni, si ebbero le reazioni più disparate: dal suicidio collettivo alla distruzione di tutti i luoghi e gli oggetti sacri, per evitarne la profanazione da parte dei conquistatori. Analoga sorte toccò alla maggior parte degli scritti: principale causa di difficoltà per gli studiosi nel reperire documenti sulla storia e la cultura etrusca.

Tra storia e leggenda

Enea, sopravvissuto alla guerra e alla distruzione di Troia, dove aveva pure perduto la propria moglie, Creusa, era fuggito con il padre, Anchise, ed il figlio, Ascanio. Dopo un lungo peregrinare, era giunto a Cartagine, città di origine fenicia, capitale di un importante regno sulla costa nord-africana; poi era ripartito ed era sbarcato sulle coste di quella penisola che, in seguito, si sarebbe chiamata Italia. Era giunto in una terra pianeggiante, il futuro Lazio, circondata da colline e bagnata dal corso inferiore di un fiume, il *Tevere*. Vinti i Rutuli, Enea sposò Lavinia, figlia del re, Latino, dal quale presero pure il nome di *latini* gli abitanti di quella regione. Essi fondarono numerose città politicamente indipendenti, riunite tra loro da una lega religiosa. Una di queste città era Alba Longa, situata sui colli laziali. Suo fondatore e primo re fu lo stesso Ascanio, figlio di Enea. Gli successero, secondo la tradizione, altri undici re, uno dei quali fu Numitore. Quest'ultimo ebbe una figlia, Rea Silvia, ed un figlio, Amulio. Rea Silvia ebbe poi due gemelli, Romolo e Remo. Intanto, Amulio aveva deposto Numitore dal trono e, forse per paura che, una volta cresciuti, Romolo e Remo gli contestassero il potere, decise di gettare nel Tevere i due neonati. Ma essi furono miracolosamente salvati e la leggenda narra che fossero stati allattati da una lupa. Furono poi allevati da un pastore, Faustolo, e da sua moglie, Larenzia.

Qualcuno aveva probabilmente informato i due fratelli delle loro origini, come pure delle vicende occorse al nonno, Numitore, ad opera dello zio, Amulio. Forse sapevano anche chi aveva tentato di eliminarli appena nati, visto che, divenuti adulti, decisero di "ricambiare la cortesia" ad Amulio, che venne ucciso da Romolo e così Numitore potè riottenere il trono di Alba Longa.

Intanto nei due giovani nacque e maturò l'idea di fondare una nuova città, il cui perimetro fu tracciato su un piccolo colle,il Palatino. Ma crebbero anche i dissapori tra i due fratelli, sino a che, in una lite, Romolo uccise Remo, rimanendo così solo nell'avviare le sorti della nuova città. Correva l'anno 753 a.C., mentre sul Palatino nasceva la città *quadrata*, così chiamata per la sua forma quadrangolare: quella città era Roma e Romolo era il suo primo re. Egli, infatti, regnò sino al 715, quando, scomparso in circostanze misteriose, iniziò ad essere venerato dai Romani come un dio, con il nome di *Quirino*.

I primi Romani furono poveri pastori che abitavano la pianura bagnata dal basso corso del Tevere e dal mar Tirreno. La loro lingua era il latino. I loro villaggi furono in origine luoghi di raccolta dei loro *greggi* (di pecore - il termine *gregge* non può riferirsi ad altri animali) oppure erano piccoli abitati sulle colline lungo le sponde del fiume. Questi ultimi vennero fortificati con solide mura dagli Etruschi, che si espansero nella regione durante il VII secolo a.C., influenzando notevolmente la vita della stessa Roma la cui religione, anch'essa politeista (o *pagana*) ebbe in comune con gli Etruschi diverse divinità e pratiche del culto. Di origine etrusca furono anche il terzultimo e l'ultimo dei sei re di Roma che successero a Romolo: un dettaglio che, probabilmente, accentuò l'ostilità dei Romani verso il loro ultimo re, Tarquinio il Superbo, il quale fu deposto nel 510 dai *Patrizi* (l'aristocrazia) per lasciare il posto ad una nuova forma istituzionale: la Repubblica.

Roma repubblicana

La Repubblica fu instaurata nel 509. Il Re fu sostituito da due *consoli*. Essi erano a capo dello Stato e dell'esercito, e rimanevano in carica per un anno. Vi erano poi due o più *pretori*, con funzioni giudiziarie; alle finanze erano addetti due *questori*, mentre due *edili* sovrintendevano al corretto svolgimento della vita cittadina. Consoli, pretori, questori ed edili erano tutti *magistrati* (parola che, solo nei secoli successivi, si limitò a significare i principali operatori nel settore giudiziario). Vi era poi il *Senato*, del quale potevano far parte solo rappresentanti patrizi, mentre non era prevista alcuna rappresentanza della *plebe*, ossia della gente comune. Questa, però, si ribellò nel 490, quando un cospicuo numero di *plebei* si riunì sul Monte Sacro, un piccolo colle vicino a Roma, ed elesse propri rappresentanti col titolo di *tribuni*. Si decise di abbandonare la città se non fossero stati concessi alla plebe maggiori diritti. Si tenga presente che la maggior parte delle truppe romane era costituita da plebei, dunque un loro esodo in massa avrebbe messo in crisi l'esercito. Perciò l'aristocrazia dovette cedere alle pressioni della base e riconoscere il ruolo dei tribuni. Iniziò così un'importante serie di conquiste sociali e politiche da parte dei plebei, i quali ottennero, tra le altre cose, il diritto di accedere alla magistratura mentre, con una legge del 287, fu istituita l'*Assemblea dei Plebei*, formata dai loro tribuni, e alla quale venne conferito potere legislativo.

Nel frattempo Roma dovette far fronte alla rivalità di numerose altre città-stato e popolazioni dell'Italia, che la tennero quasi ininterrottamente per più di un quarto di secolo in assetto di guerra. Per fronteggiare gli attacchi e le scorrerie delle tribù stanziate sulle colline circostanti (gli Equi ed i Volsci) e poi anche dei Galli, tribù celtica giunta dal Nord con a capo il temibile Brenno, Roma aveva stretto un'alleanza con altre città del Lazio.

Una serie di operazioni di guerra fu sostenuta contro i Sanniti per il possesso delle colonie greche della Campania; cosicché, a poco a poco, alleandosi con i popoli vicini o conquistandoli, Roma riuscì, nel 280, ad unificare sotto di sé tutta l'Italia centrale.

Tuttavia i Romani non condussero una politica di repressione verso le tribù e le città sottomesse, coscienti che solo così avrebbero potuto evitare violente ribellioni da parte di quelle. Perciò Roma concesse loro speciali diritti in cambio di loro servizi militari.

Proprio nel 280 l'Italia meridionale fu invasa dalle truppe di Pirro, re dell'Epiro, il quale sperava in una defezione da parte delle città alleate di Roma. Tuttavia le speranze di Pirro non si realizzarono e, dopo una dura guerra, il re greco dovette abbandonare l'impresa.

Ma fu per Roma un periodo di pace relativamente breve, per la crescente rivalità con i Fenici di Cartagine, che controllavano il Mediterraneo orientale. Infatti, nel 264 ebbe inizio tra Roma e Cartagine la prima di tre guerre così dette *puniche*, dato che i Cartaginesi venivano chiamati anche *Puni*. La guerra si concluse nel 241 con la disfatta cartaginese e la conquista romana della Sicilia, della Sardegna e della Corsica, sulle cui coste i Cartaginesi avevano fondato diverse colonie.

Nel 218 truppe cartaginesi provenienti dalla penisola Iberica e comandate dal generale Annibale invasero l'Italia e vi rimasero per 13 anni, infliggendo a Roma diverse sconfitte, la più grave delle quali avvenne nel 216 a Canne, nel sud della penisola. Era la seconda guerra punica, la quale si concluse soltanto nel 202 con la controffensiva romana e l'annessione a Roma di Cartagine e del suo impero, sulla costa nord-africana.

Qualche decennio più tardi una serie di fortunate campagne permise a Roma di annettere, nel 148 la Macedonia e, nel 146, la Grecia. Nel frattempo, venne soffocata dalle armate romane una rivolta a Cartagine (terza guerra punica) e la città venne rasa al suolo.

Crisi della Repubblica

Malgrado la serie di successi militari che posero le fondamenta dell'espansione romana in tutto il Mediterraneo, il periodo che va dal 133 al 30 a.C. fu contrassegnato da una profonda crisi istituzionale. La classe politica non operava più nel puro interesse del Paese, ma aveva ridotto la propria funzione ad una semplice fonte di arricchimento personale. L'ascesa alle cariche politiche non era alla portata di tutti, dati i cospicui fondi necessari per assicurarsi il favore di un vasto numero di votanti, organizzando spettacoli, manifestazioni sportive ecc. Dunque, solo le famiglie più ricche potevano sostenere quelle spese; diversamente si poteva avanzare nella carriera entrando nelle simpatie di qualche personaggio influente e divenendo suo stretto collaboratore. Vi era addirittura chi, per tentare la scalata prendeva a prestito ingenti somme di denaro, tali che poi era costretto a fare di tutto per raggiungere il proprio obbiettivo e potere quindi saldare il debito.

La carriera iniziava con la carica di edili per giungere, se si era fortunati, a quella di consoli. A quel punto si poteva sperare di essere inviati a governare una qualche provincia. Era questa la carica più redditizia giacché permetteva di guadagnare una fortuna, attraverso l'imposizione di forti tasse alla popolazione locale.

Tutto ciò avveniva a danno delle classi più povere. Nel 133, i grandi proprietari terrieri ostacolarono apertamente una mozione di Tiberio Gracco, il quale, in veste di tribuno (della plebe), aveva proposto al senato l'assegnazione di parte delle terre del *demanio* statale ai contadini meno abbienti, alcuni dei quali erano completamente senza lavoro. Tiberio Gracco pagò cara quella presa di posizione: venne infatti assassinato lo stesso anno da sostenitori dei suoi avversari. Analoga fine toccò, una decina di anni più tardi, al fratello, Caio Gracco, per aver riproposto la riforma agraria.

La vicenda dei fratelli Gracchi divise il Senato in due fazioni contrapposte: gli *ottimati*, che sostenevano l'aristocrazia terriera, e i *democratici*, sostenitori delle riforme a favore della base. Fu l'inizio di una nuova serie di lotte interne con lunghi periodi di dittatura, soluzione regolarmente prevista dalle antiche istituzioni romane in caso di situazioni politiche molto precarie o di emergenza, in attesa del regolare ripristino delle istituzioni consolari. Lo dimostra l'episodio di Lucio Cornelio Silla, aristocratico, sostenitore degli Ottimati, il quale, di ritorno da una campagna militare in Asia Minore contro Mitridate, re del Ponto, rientrò a Roma, ove, nel frattempo, i Democratici, guidati da Mario avevano preso il potere. Era l'anno 83. Silla prese la città con un colpo di mano, la governò per più di tre anni, riconsolidando il potere del Senato e, nel 79, quando sembrò raggiunta una sufficiente stabilità politica, lasciò il proprio mandato per permettere il ritorno dei Consoli.

* * *

Come nella maggior parte degli stati dell'antichità, anche a Roma esisteva formalmente la schiavitù. Prigionieri di guerra o semplici deportati dalle province conquistate, gli schiavi erano considerati proprietà del loro padrone. Ad essi toccavano i più duri ed i più umili labori nei campi, o, se avevano buone prestanze fisiche, erano mandati nei circhi a combattere come gladiatori. Più fortunati erano quegli schiavi che, grazie alla loro elevata cultura, avevano il compito di educare i figli dei loro padroni.

Non sempre gli schiavi accettarono passivamente la propria condizione. Tra il 73 ed il 71 ebbe luogo una violenta ribellione condotta da Spartaco, un nobile guerriero della Tracia, anch'egli deportato ed impiegato nei combattimenti gladiatori. La ribellione si concluse solo dopo due anni, quando le truppe del generale Gneo Pompeo riuscirono a sopraffare i ribelli, mentre Spartaco ed altri suoi seguaci furono catturati e messi a morte mediante crocefissione, un metodo di esecuzione capitale ben più antico dell'episodio di cui fu vittima, di lì a poco più di un secolo, Gesù Cristo.

Dopo gli schiavi fu la volta dei pirati, che infestavano il Mediterraneo e che lo stesso Pompeo riuscì a debellare nel 67.

In seguito Pompeo divenne console assieme ad un altro generale destinato a grande fama, Caio Giulio Cesare, il quale, tra il 59 e il 51, riuscì a conquistare l'intera Gallia.

Ben presto il prestigio di Cesare fu causa di crescenti discordie tra lui e Pompeo, sino a che, nel 49, lo scontro fu inevitabile. Cesare marciò su Roma con le proprie truppe e, dopo due anni ebbe ragione del rivale.

Rimasto solo, Cesare governò con mano ferma, riscuotendo un ampio consenso specialmente dalla base. Per assicurarsi l'appoggio del Senato triplicò il numero dei suoi membri mediante l'immissione di persone tutte di propria fiducia.

Tuttavia, il 15 marzo del 44, Cesare cadde vittima di un attentato ad opera di alcuni senatori suoi avversari. Seguirono 14 anni di guerra civile, mentre il potere passò, per un breve periodo, al vicecomandante di Cesare, Marco Antonio. Ben presto questi dovette dividere il potere con il nipote di Cesare, Ottaviano, al quale il defunto zio aveva lasciato per testamento un ingente patrimonio.

Successivamente Antonio dovette partire per un'operazione militare alla frontiera orientale con la Persia per respingere un'invasione ad opera dei Parti.

Innamoratosi follemente della regina d'Egitto, Cleopatra, Antonio diede ben presto a quel rapporto sentimentale un connotato politico valutando la possibilità di sottrarre a Roma, d'accordo con la regina, le province d'oriente. Ciò gli comportò la demuncia per alto tradimento, alla quale seguì l'entrata in guerra di Roma contro lo stesso Egitto. Le ostilità ebbero fine con la battaglia navale al largo di Azio (Grecia), dove la flotta di Ottaviano sbaragliò quella di Antonio e Cleopatra, i quali si tolsero la vita, mentre l'Egitto divenne una provincia romana.

Tra Repubblica ed Impero. Ottaviano Augusto e il suo Governo

La vittoria di Azio e la scomparsa di Antonio misero fine alla lunga guerra civile. Rimasto solo, Ottaviano si preoccupò di riassestare lo Stato indicendo nuovamente le elezioni alla carica consolare, per la quale egli stesso si candidò. Divenuto console, proseguì nel proprio lavoro di rafforzamento delle istituzioni, ridando ad esse l'antica credibilità. Ristrutturò il Senato, allontanando da esso i senatori ritenuti indegni, ai quali si aggiunsero coloro che presenziavano scarsamente alle riunioni dell'assemblea.

Tutto ciò diede ad Ottaviano un'indiscussa popolarità, tanto che gli venne conferito il titolo onorifico di *Augusto*, ben presto usato come un vero e proprio nome, e con il quale egli divenne egualmente noto.

La conquista di nuovi territori verso nord permise ad Augusto di assicurare l'Italia dai ripetuti tentativi di invasione da parte delle tribù germaniche, mentre il confine venne fissato lungo il Reno e il Danubio.

Memore degli abusi commessi dai governatori delle province, Augusto si premurò ad operare una serie di riforme ed innovazioni anche nel settore amministrativo. Al posto degli antichi governatori, che traevano i propri guadagni mediante pressioni fiscali, egli inviò nelle province funzionari scelti nelle file dei senatori regolarmente stipendiati da Roma. Un servizio civile ispettivo fu appositamente istituito da Augusto per assicurarsi che tali governatori svolgessero correttamente il proprio compito. Un regolare servizio postale entrò in funzione per un più rapido collegamento tra Roma e le province più periferiche. I corrieri riuscivano a percorrere giornalmente una distanza talvolta pari ad un'ottantina di chilometri, mentre apposite stazioni permettevano loro di passare la notte tra una tratta e l'altra del loro viaggio. Sorsero poi nuovi edifici pubblici, per i quali vennero impiegati i migliori architetti e scultori dell'epoca mentre un nutrito numero di artisti, scrittori e poeti (primo tra essi Publio Virgilio Marone, noto come Virgilio ed autore di un poema sulle origini del popolo latino, *L'Eneide*) trovarono nell'abile uomo di Stato un valido sostenitore.

Sebbene tradizionalmente noto come il primo *imperatore* romano, tanto che il suo nome divenne in seguito il simbolo della dignità imperiale,in realtà Augusto non assunse mai ufficialmente quel titolo, attribuendosi soltanto quello di *Primo Cittadino*.

Ma Augusto fu anche l'uomo che cavalcò due ere. Infatti, durante il suo mandato nasceva a Betlehem, in Palestina, Gesù Cristo, capostipite non solo di una grande religione, ma anche di un'èra, la nostra, dato che, nelle normali relazioni internazionali, gli anni si contano a partire da quell'evento.

Da ora in poi, anche in questo libro, si inizieranno a contare gli anni in ordine regolarmente crescente, visto che si tratterà ormai di fatti della nostra èra, ossia *dopo Cristo* (d.C.).

L'Impero

Augusto morì nel 14 d.C. Gli successe il nipote, Tiberio, il quale, a differenza dello zio, assunse formalmente il titolo di *Imperatore* e diede inizio a più di quattro secoli di reinstaurata monarchia a Roma. L'Imperatore era proconsole e tribuno a vita ed era anche capo religioso. Egli assegnava a persone di sua nomina le cariche di magistrati e nominava personalmente alcuni senatori. Ciò gli rendeva possibile il diretto controllo sulla vita politico-amministrativa di Roma. A lui spettava il controllo diretto delle forze armate e della finanza. Erano inoltre proprietà personale del sovrano, oltre che parte dell'Impero, vasti territori in Italia e fuori di essa. Uno di questi era l'Egitto, che, grazie alle benefiche innondazioni del Nilo, produceva annualmente enormi quantità di grano.

La confluenza in un'unica persona di tanto potere politico quanto economico fece sì che le sorti del Paese erano spesso legate al carattere dei singoli sovrani.

Non tutti gli imperatori ebbero però la personalità di Ottaviano Augusto. Morto Tiberio, gli successe, nel 37, Caio Caligola, uomo ambizioso che riuscì a proclamarsi dio, nonché autore di numerose stranezze. Si racconta, a proposito, che, in un contrasto con il Senato, per umiliare la stessa dignità dei suoi membri, egli proclamò senatore un proprio cavallo... Morì assassinato e, nel 41, gli succedette lo zio, Claudio, il quale fece quanto poté per riparare i danni provocati dal nipote.

Morto Claudio, iniziò, nel 54, il regno di Nerone, i cui ultimi sei anni furono tra i più tristi della storia romana.

L'estensione dell'Impero Romano nell'età di Augusto e la massima estensione dell'Impero Romano

Il diffondersi del cristianesimo, specialmente tra le classi più povere, fece temere alle autorità governative che, attraverso la nuova religione, si stesse cospirando contro lo Stato. Ora, il cristianesimo non contestava l'esistenza delle istituzioni politiche dello Stato, bensì il loro comportamento. Ad ogni modo, iniziò una sistematica persecuzione contro i cristiani, che divenne più violenta quando, nel 64, Roma fu devastata da un pauroso incendio. L'imperatore, fors'anche provocato da altri, colse l'occasione per infierire maggiormente sui cristiani indicandoli come gli autori del disastro.

Piovvero le condanne a morte, mentre coloro che si salvarono, dovettero riunirsi clandestinamente nelle *catacombe*, luoghi di sepoltura sotterranei, situati all'esterno delle mura cittadine.

Numerose furono le congiure per eliminare Nerone, mentre il cristianesimo continuò a propagarsi malgrado la persecuzione. Nel 68 l'imperatore morì suicida.

Vi fu un anno di transizione, con la rapida successione di più sovrani. Alla fine, nel 69, la carica fu conferita a Vespasiano, della dinastia dei Flavi. Uomo sobrio ed avveduto, egli pose un freno al lusso ed agli sperperi che dissanguavano le finanze dello Stato. Grazie all'aiuto di un brillante governatore, Agricola, egli affrontò con successo una serie di ribellioni in Britannia (la parte meridionale della futura Gran Bretagna). Stranamente, però, Vespasiano divenne famoso nel mondo per un'importante innovazione nel settore delle opere pubbliche e della salvaguardia dell'igiene collettiva, specie nelle grandi città come Roma, cioè l'introduzione di quella struttura di utilità igienica che da lui prese il nome.

Gli successe il figlio, Tito, all'inizio del cui regno, nel 79, avvenne il noto disastro di Pompei, sepolta assieme ad Ercolano e Stabia dalle ceneri provenienti da un'eruzione del Vesuvio.

Solo due anni dopo, nell'81, fu la volta di Domiziano, terzo imperatore della dinastia Flavia.

Seguì una serie di imperatori non più eletti per ragioni di parentela con i loro predecessori, ma, piuttosto, per le loro capacità. Tra questi vi era Marco Ulpio Traiano.

Nato in Spagna, presso Siviglia, egli condusse con successo una serie di operazioni difensive sia sul Danubio che contro i Parti, in Oriente. In séguito conquistò la Dacia (futura Romania). Testimonianza delle sue imprese divenne la celebre Colonna *traiana*, nell'omonima piazza di Roma.

Suo amico e successore fu Adriano. Costui viaggiò in tutto l'impero e si prodigò per soddisfare le lamentele che gli venivano via via presentate dalle popolazioni che incontrava. Divenne famoso per aver fatto erigere una serie di fortificazioni nel nord della Britannia, il *Vallo di Adriano*. Inoltre fece costruire a Roma, quale proprio mausoleo, la *mole adriana*, poi trasformata in residenza fortificata durante il dominio dei papi con il nome di *Castel Sant'Angelo*.

Ad Adriano seguì, nel 138, Antonino Pio; quindi, nel 161, Marco Aurelio. Quest'ultimo dovette impegnare a lungo l'esercito per scongiurare le numerose minacce di invasioni che provenivano dai confini dell'Impero e che non avrebbero più cessato di assillare il paese.

Crisi e fine dell'Impero

Dopo Marco Aurelio altri imperatori seguirono, e molti di essi dovettero far fronte a nuovi tentativi di invasione che si ripeterono durante il III secolo. Gli Angli ed i Franchi riuscirono a sottrarre a Roma alcuni territori ad occidente, mentre i Persiani facevano lo stesso ad oriente. Erano i segni visibili di un declino già da tempo in atto.

Infatti, verso il 200 si era prodotta nell'Impero una profonda crisi economica ed istituzionale. Nelle campagne, sempre meno popolate, la piccola proprietà era progressivamente assorbita dalla grande proprietà, detta anche *latifondo*. I piccoli proprietari abbandonavano i loro poderi e andavano a popolare i quartieri poveri delle città, oppure cedevano i loro esigui possessi a dei grandi proprietari, detti anche *latifondisti*, in cambio di sicurezza e protezione, che lo stato era sempre meno in grado di garantire.

Bande di malviventi compivano frequenti scorrerie, segno del crescente disordine e della miseria che stavano assalendo il Paese, mentre, come spesso accade quando più realtà etniche e culturali convivono in seno ad un'unica istituzione politica, cominciavano a farsi strada in alcune province le prime avvisaglie separatiste. Inoltre le truppe di stanza in esse erano formate interamente da uomini locali, sia nei bassi che negli alti gradi. Con l'indebolirsi del governo centrale, crebbe la loro influenza, a tal punto che ciascuno di questi contingenti riuscì a proclamare imperatore il proprio comandante.

Tra questi imperatori-soldati, tutti esperti guerrieri, il più famoso in quanto artefice di un notevole riassetto organizzativo ed amministrativo dell'Impero fu il generale illirico Diocleziano (284-305).

Con lui si ebbe una massiccia persecuzione dei cristiani, responsabili di aver messo in crisi con la loro dottrina le antiche credenze pagane su cui poggiavano le istituzioni di Roma sin dalla sua fondazione.

Con la speranza di rendere più agevole l'amministrazione del territorio imperiale, troppo vasto per essere governato da un unico centro, egli istituì la *tetrarchia*, ossia divise l'impero in quattro circoscrizioni amministrative, due delle quali erano rette ciascuna da un *Augusto*, mentre le altre due erano rette ciascuna da un *Cesare*. Morti gli Augusti, i due Cesari dovevano succedere loro anche nel titolo ed essere sostituiti da due altri cesari, e così via. Ma tale ripartizione non agevolò tanto l'amministrazione, bensì fu un ulteriore passo verso la disgregazione politica dell'Impero.

La tetrarchia finì con Costantino (307-337), il quale con l'editto di Milano del 313, concesse ampia libertà di culto ai cristiani, ponendo così fine alle persecuzioni contro di essi, mentre alle autorità ecclesiastiche locali, in via di consolidamento, vennero conferiti sempre maggiori incarichi di amministrazione civile, data la crescente mancanza di funzionari laici. Con lui la capitale dell'Impero fu fissata a Bisanzio, che in suo onore assunse il nome di Costantinopoli.

Teodosio, che regnò dal 379 al 395, continuò e perfezionò, tale processo con l'editto di Tessalonica del 380, contribuendo in questo modo a porre fine all'attrito tra la romanità ed il cristianesimo, il quale, da fattore di crisi, divenne fonte di nuove energie per il logorato impero, che da *Romano* fu ridefinito *Romano-Cristiano*.

Ma con lui cessava anche l'unità politica dell'Impero. Infatti, Teodosio decise di dividere quest'ultimo in Impero Romano d'Occidente, con capitale Ravenna, e che assegnò ad uno dei suoi 2 figli, Onorio, mentre l'Impero Romano d'Oriente, con capitale Costantinopoli, andò all'altro figlio, Arcadio.

Alla base della decisione di Teodosio stava la sostanziale preesistente differenza tra la parte occidentale dell'Impero e quella orientale. Il fattore più visibile era stato il prevalente uso della lingua latina ad occidente mentre ad oriente prevalsero sempre la lingua e la cultura greca, che si erano diffuse in seguito alle conquiste di Alessandro il Macedone, precedenti a quelle romane. Non si trattò quindi di una decisione arbitraria e senza fondamenti.

Le grandi invasioni e la fine dell'Evo Antico

Mentre l'Impero d'Oriente era destinato a sopravvivere per ancora un millennio, non fu così per quello d'Occidente. Vi avvennero le prime invasioni cosiddette barbariche, ossia la penetrazione in massa di popolazioni germaniche (Goti, Vandali, Franchi, ecc.)

che, sospinte verso occidente dalle incursioni degli Unni, provenienti dall'Asia, si insediarono in territorio romano fondando propri regni di fatto indipendenti. Il 24 agosto 410 Alarico, re dei Visigoti (dal tedesco *Westgoten* - Goti dell'Ovest), espugnò e saccheggiò Roma; nel 451-452 gli Unni di Attila invasero e saccheggiarono la Gallia e poi l'Italia, risparmiando Roma grazie soltanto all'intervento personale del Papa, Leone I. Ma fu solo un rinvio, poiché nel 455 la città venne messa a sacco dai Vandali di Genserico, provenienti dal Nord-Africa, che dal 429 era in loro possesso (tranne l'Egitto, territorio dell'Impero d'Oriente). Giunse così al colpo di mano del 4 settembre 476, quando l'ultimo imperatore romano d'Occidente, Romolo Augustolo, fu deposto da Odoacre, re degli Eruli, che pose fine all'Impero d'Occidente.

Ben presto, però, Odoacre dovette affrontare l'avanzata degli Ostrogoti (dal tedesco *Ostgoten* - Goti dell'Est), i quali, guidati dal loro re, Teodorico, sconfissero gli Eruli, mentre Odoacre trovò la morte per mano dello stesso Teodorico.

Il Regno di Teodorico, che comprendeva praticamente l'intera Italia, fu contraddistinto da una politica di convivenza mutualistica, dove l'elemento goto incarnava principalmente il potere militare, mentre quello politico, giuridico e diplomatico era appannaggio della componente latina. Non mancò l'interessamento del re ostrogoto nel campo dell'arte e dell'architettura: fu egli, infatti, ad ordinare la costruzione a Ravenna della chiesa di Sant'Apollinare nuovo.

Ben presto, però, la divergenza religiosa tra i latini, in maggioranza cristiani cattolici, ed i Goti, in prevalenza cristiani ariani, giunse a tal punto che Teodorico, credendo di essere vittima di un complotto, fece condannare a morte uomini che in precedenza erano stati di sua fiducia, come i senatori Albino e Simmaco ed il filosofo Severino Boezio. Morì egli stesso il 30 agosto del 526 e fu sepolto nel mausoleo, tutt'oggi visitabile a Ravenna.

Un'ultima riconquista dell'Italia, nel quadro di un auspicato ritorno all'unità romana fu condotta a termine dall'imperatore d'Oriente Giustiniano (527-565) dopo una lunga guerra che durò dal 535 al 553.

Fu allora introdotta in Italia la legislazione giustinianea, frutto delle riforme precedentemente apportate dallo stesso imperatore in oriente, e la cui importanza fu tale da fare dell'Italia il trampolino di lancio per la ridiffusione, nei secoli successivi, dei valori della romanità nell'Europa Occidentale. Ma, accanto a questi lusinghieri auspici, si ebbe un sistema amministrativo statico, fortemente burocratizzato ed accentratore che Costantinopoli aveva ereditato da Diocleziano. Inoltre non tardarono a far sentire la loro eco in occidente le numerose dispute religiose che permearono in quel periodo l'Impero d'Oriente, mentre in Giustiniano trovò la massima espressione il *cesaropapismo*, in virtù del quale l'Imperatore attribuiva a se stesso il ruolo di supervisore anche in campo religioso: già in precedenza Costantino si era autodefinito "vescovo esterno" della Chiesa cattolica. Sull'esempio di quello, Giustiniano inglobò definitivamente la Chiesa nell'apparato burocratico imperiale, in cui i vescovi divennero una sorta di supremi controllori dei funzionari amministrativi laici.

Dunque, la Chiesa perse la propria autonomia; e lo si vide quando, per far fronte alle tendenze separatiste in Siria ed in Egitto, Giustiniano fu costretto ad abbandonare l'ortodossia religiosa per abbracciare sempre più il programma cristiano monofisita di quelle province.

A ciò si oppose perentoriamente il vescovo di Roma, Vigilio, il quale, per questa sua condotta, fu arrestato e relegato nel Chersoneso, dal quale riuscì in séguito a fuggire per riaffermare, una volta di ritorno a Roma, l'ortodossia religiosa in Occidente.

Morto Giustiniano, Costantinopoli si trovò subito di fronte a nuovi pericoli di invasione: ad est premevano i Persiani e, in Italia, i Longobardi, i quali, cacciati dalla Pannonia ad opera degli Àvari, nella primavera del 568, la invasero a partire da nord-est e, nel settembre dello stesso anno, giunsero a Milano, centro nevralgico di quella regione che da loro assumerà il nome di *Longobardia*, parte della quale sarà poi la futura *Lombardia*.

Le conquiste dei Longobardi proseguirono sino al 572. Guidati dal re Alboino, essi si impadronirono di quasi tutta l'Italia settentrionale e centrale, instaurando un regno che ebbe per capitale Pavia, mentre non riuscirono ad impossessarsi delle coste, ben presidiate dalla flotta imperiale. Non passarono infatti in mano longobarda la Liguria, la nascente Venezia, l'Esarcato di Ravenna (con le città di Ravenna, Bologna, Ferrara e Adria), la Pentapoli (Rimini, Pesaro, Fano, Senigallia ed Ancona: tutte sulla costa adriatica centro-settentrionale) e il Ducato Romano.

Dopo la morte di Alboino e del suo successore, Clefi, entrambi assassinati, l'infiltrazione longobarda in Italia giunse fino al sud della penisola, ove fu creato il ducato di Benevento, mentre al centro venne creato quello di Spoleto. Entrambi i ducati rimasero quasi indipendenti dal regno principale.

Nel 603, con la mediazione di Papa Gregorio Magno, fu conclusa la pace tra Longobardi ed Impero. Finiva così l'unità territoriale dell'Italia, destinata a rimanere divisa per più di un millennio.

IL MEDIOEVO

L'Italia del primo Medioevo e la nuova autorità della Chiesa Romana
I Franchi e la fine dell'epoca romano-barbarica
Carlo Magno e il Sacro Romano Impero
Gli anni bui dell'epoca feudale
L'XI secolo e il grande risveglio
Le Crociate
Le Repubbliche Marinare
I Normanni in Italia
I Comuni
Federico Barbarossa e i Comuni italiani
Innocenzo III e il suo pontificato
Federico II e la sua epoca
Verso i primi stati nazionali. La crisi del Medioevo
Dalle Signorie ai Principati
Lo scisma d'Occidente e le prime guerre di successione
Dal Medioevo all'Età Moderna. Il Rinascimento

L'Italia del primo Medioevo e la nuova autorità della Chiesa Romana

In seguito alla pace del 603 i possessi bizantini in Italia comprendevano il litorale (la fascia costiera) della Liguria e della Toscana, come pure quello veneto con la laguna sulle cui isole, per sfuggire alle incursioni di Attila, si erano insediate popolazioni dalla terraferma ed avevano fondato Venezia. Vi erano poi:

– l'Esarcato di Ravenna, precedentemente citato;

– la Pentapoli, con Rimini, Pesaro, Fano, Senigallia ed Ancona (Pentapoli Marittima), cui si aggiungevano, nell'interno, Urbino, Fossombrone, Jesi, Cagli e Gubbio (Pentapoli Annonaria);

– i ducati di Roma e di Napoli;

– le Puglie e buona parte della Calabria;

– le tre isole maggiori, ossia la Sicilia, la Sardegna e la Corsica.

Tali possessi non formavano un territorio compatto ed unito, ma erano staccati l'uno dall'altro, rendendo ancor più difficile la loro difesa. Perciò, verso il 584, l'imperatore

Maurizio insediò a Ravenna un alto funzionario con il titolo di *Esarca*, da cui derivò il nome di *Esarcato* al territorio del quale Ravenna era capoluogo amministrativo.

L'Esarca era rappresentante diretto ed immediato dell'Imperatore in Italia, ai suoi ordini vi erano i *duci*, che governavano le varie province (o *ducati*), nelle quali detenevano il comando supremo delle milizie, nominavano le cariche minori del governo locale, amministravano il fisco e la giustizia.

Non sottostavano alla giurisdizione dell'Esarca di Ravenna: la Sicilia, che era direttamente amministrata da Costantinopoli, mentre la Sardegna e la Corsica erano parte dell'Esarcato d'Africa.

Ma l'interessamento sempre minore di Costantinopoli per le vicende italiane fece progressivamente diminuire il legame tra l'Italia e la Corona. Eserciti locali si affiancarono a quello imperiale, per rimediare le carenze difensive, mentre riemergevano i conflitti religiosi tra Roma e Costantinopoli. Nel 655 moriva in carcere Papa Martino I, reo di aver indetto a Roma, senza la preventiva autorizzazione dell'Imperatore, un concilio ecumenico per riaffermare l'ortodossia cattolica contro le nuove divergenze teologiche dei monoteliti.

Sul versante economico crescevano progressivamente le città costiere, le quali, grazie ai loro traffici, si arricchivano rapidamente, preludendo alla futura nascita delle *Repubbliche Marinare*.

* * *

L'assassinio del re Clefi nel 574 diede inizio nell'Italia longobarda ad un decennio di *interregno*, un periodo di transizione così definito per la mancanza di un vero e proprio re. Ciò permise il progressivo sorgere di un gran numero di piccoli dominii con a capo i vari duchi longobardi, ben decisi a rimanere autonomi tra loro. Tali dominii erano anche degli organismi economici autosufficienti, nei quali l'economia era sempre più chiusa agli scambi commerciali, mentre era scarso l'impiego di moneta.

Tuttavia la frequente minaccia di una riscossa bizantina, unita alle sempre più frequenti scorrerie dei Franchi, pose un freno al frazionamento dei territori longobardi e, nel 584, venne eletto re Autari, figlio di Clefi, ponendo così fine all'interregno. Ma anch'egli non ebbe migliore sorte dei suoi predecessori. I Bizantini e I Franchi lo impegnarono in frequenti campagne militari, mentre all'interno, numerosi duchi longobardi erano restii a riconoscerlo come sovrano. Morì, anch'egli assassinato, nel 590.

Ad Autari successe Agilulfo. La conversione di questi al cattolicesimo suscitò l'opposizione di coloro che rimanevano fedeli all'arianesimo, così che tutto il secolo VII vide la monarchia longobarda travagliata da continue lotte interne che ne resero alquanto instabile la Corona.

Nel 636 salì sul trono Rotari, duca di Brescia, che approfittò della crisi che attraversava l'Impero Bizantino per l'improvvisa espansione araba e riunì al regno longobardo la Liguria e parte dei territori veneti. Con l'editto del 643 egli riorganizzò notevolmente il sistema legislativo e giudiziario del Regno. Se, da una parte, rimanevano fermi alcuni fondamentali principi barbarici nel diritto penale, quali quello del *guidrigildo* (risarcimento in denaro) al posto della *faida* (vendetta), altri aspetti, tipici del diritto romano, portarono una ventata di progresso nella scienza giuridica dei primi secoli del Medioevo.

Altra figura emergente tra i re longobardi fu quella di Grimoaldo, duca di Benevento. Anch'egli di fede ariana, come Rotari, salì sul trono nel 662. Ben presto dovette affrontare una violenta offensiva bizantina guidata dallo stesso imperatore, Costante II, le cui truppe giunsero sino alla stessa Benevento, senza, però, riuscire ad espugnarla. Alla fine Costante II fu costretto a desistere dalle proprie intenzioni ed a rifugiarsi in Sicilia. La pace fu conclusa nel 670.

Tale successo consentì a Grimoaldo di consolidare ulteriormente l'unità della monarchia longobarda. Negli organismi periferici funzionari di nomina regia, i *gastaldi*, affiancarono e poi sostituirono gradualmente i poco affidabili duchi, mentre anche a corte aumentarono sempre più le cariche di diretta nomina del sovrano.

* * *

Ora, mentre Longobardi e Bizantini si contendevano la supremazia in Italia, la sola istituzione in grado di dare luce a quegli anni bui rimase la Chiesa cattolica, che nel Vescovo di Roma riconosceva ormai il proprio *Pontefice* (o *Papa*). La sua influenza era principalmente spirituale, ma, data la situazione, assunse ben presto connotati anche politici.

Nel 590 venne eletto Papa Gregorio, un nobile romano, che aveva intrapreso la carriera amministrativa divenendo pure prefetto. Ben presto, però, si era ritirato in un monastero fondato da lui stesso e, nel 579, aveva ricevuto da Papa Pelagio l'incarico di nunzio a Costantinopoli per un periodo di sei anni, al termine del quale era tornato alla vita monacale. Il suo pontificato conobbe una forte espansione del cattolicesimo in Inghilterra ed in Spagna. Fu potenziato il ruolo dei Vescovi, alla cui potestà fu sottomesso lo stesso monachesimo, che, in precedenza aveva assunto una posizione di autonomia rispetto all'organizzazione ecclesiastica. Inoltre Gregorio codificò la liturgia cattolica dandole l'aspetto che essa conservò anche in seguito, arricchita da quel canto noto come *gregoriano* giacché fu proprio questo papa ad introdurlo. Egli fu inoltre il primo papa ad assumere l'attributo di "Servo dei Servi di Dio", in contrapposizione a quello di "Patriarca ecumenico", con la quale si definiva il Vescovo di Costantinopoli.

Ora, malgrado la sua vocazione ecumenico-universalistica, Gregorio fu costretto dalle circostanze storiche a dare il massimo delle proprie energie alla causa dell'Italia e di Roma, della quale Egli aveva l'effettiva cura e dove, grazie agli ingenti patrimoni di cui già allora disponeva la Chiesa, egli intervenne in occasione delle frequenti carestie mentre sborsò ingenti quantità d'oro, per evitare a Roma l'occupazione longobarda, dapprima ad opera del Duca di Spoleto, poi da parte dello stesso re Agilulfo.

Tutto questo fece sì che, accanto alla figura di capo spirituale, il Papa asumesse, col tempo, quella di un capo politico, mentre contava sempre meno il ruolo del *duca* bizantino di Roma.

Come si è già visto, fu grazie a Papa Gregorio che si giunse al primo vero accordo di pace longobardo-bizantino. In seguito al quale, si ebbe la conversione al cattolicesimo della casa reale longobarda, dunque la inevitabile conversione di tutte le genti longobarde alla medesima fede. A questo scopo fu determinante l'azione della regina Teodolinda, vedova di Re Autari, divenuta moglie di Agilulfo, la quale fece eregere, a solenne ricordo del grande evento, il duomo di Monza, nel quale venne in séguito conservata la *corona ferrea*, che fu il simbolo della monarchia longobarda.

Papa Gregorio morì l'11 marzo del 604, al termine di un pontificato che lasciava un segno incancellabile nella crescita del cattolicesimo e nell'avventura politica dell'Italia. Per questo egli è noto come Papa Gregorio *Magno* (dal latino *magnus*), che vuol dire *il grande*), mentre, sulla sua tomba fu scritto l'appellativo, che i contemporanei gli conferirono, di "Console di Dio".

I Franchi e la fine dell'epoca romano-barbarica

Il VII secolo vide una nuova potenza affacciarsi sul mediterraneo: gli Arabi. In precedenza nomadi, essi trovarono nella nuova religione islamica, predicata loro da Maometto, l'elemento unificatore che fece nascere in essi la coscienza di popolo.

Nel volgere di pochi decenni, le conquiste arabe giunsero ad estendersi dai confini dell'India sino alla Spagna, ove il generale Tarik sbarcò nel 711 in quella località che, in suo onore, prese il nome di *Gebel-alTarik*, Gibilterra.

L'Asia Minore ad oriente e la Spagna ad occidente in mano araba chiudevano l'Europa come in una morsa, ma nel 732 il tentativo arabo di penetrare nella Gallia venne fermato a Poitiers dai Franchi, guidati da Carlo Martello, mentre i ripetuti tentativi di colpire Costantinopoli furono puntualmente respinti dalle forze armate bizantine.

Tuttavia l'VIII secolo fu un periodo difficile per l'Impero Bizantino sia per le conquiste musulmane che per il travaglio religioso che veniva dall'iconoclastismo, un movimento riformatore sviluppatosi soprattutto nelle province dell'Asia Minore, basato sul rifiuto del culto delle immagini sacre. Per contrastare l'azione alquanto influente esercitata dai monaci, l'imperatore Leone III decise di appoggiare tale movimento di riforma e, nel 726, si ebbero i primi atti iconoclasti, mentre, dopo aspre lotte, lo stesso imperatore riusciva, nel gennaio del 730, ad ottenere l'avvallo delle proprie posizioni dal Patriarcato di Costantinopoli, provocando in tal modo le reazioni della Chiesa Romana, la quale, l'anno seguente, convocò un sinodo che si concluse con la messa al bando dell'iconoclastia.

Il fenomeno iconoclastico raggiunse il proprio apice nel 754 con un concilio conclusosi con l'anatema contro gli adoratori di immagini. Solo nel 787 l'iconoclastismo venne definitivamente ripudiato.

* * *

Tutto questo accadeva con non poche conseguenze sui fatti d'Italia. L'interessamento per quest'ultima da parte di Costantinopoli era pressoché nullo ed i funzionari imperiali si erano ridotti a semplici esattori fiscali. Ciò fu causa di una violenta insurrezione a Ravenna che finì con l'assassinio dell'esarca. Altri tumulti si ebbero a Venezia, a Roma e in altre località.

Leone III reagì confiscando al Papa di Roma vasti possessi noti come *Possessi Pontifici* e gli tolse la giurisdizione sull'Illirico (penisola balcanica), sulla Calabria e sulla Sicilia a favore del Patriarca di Costantinopoli, facendo così ricadere le maggiori conseguenze della crisi italiana sul ducato di Roma.

Quest'ultimo si estendeva lungo la costa tirrenica da Civitavecchia a Terracina e, dal 712, era retto da un duca, con poteri sia civili che militari, e dipendente dall'Esarca. Tuttavia la presenza del Pontefice, eletto dai rappresentanti della stessa popolazione romana, privava la figura del funzionario imperiale dell'importanza che essa aveva altrove; un ulteriore emancipazione da Costantinopoli si ebbe nel 727 quando, in seguito allo scoppio della crisi iconoclastica, il funzionario inviato a Roma dall'imperatore fu deposto a favore di un funzionario locale, appartenente all'aristocrazia cittadina.

In questa situazione non tardò a venire a galla la contrapposizione tra l'aristocrazia terriera ed il clero, entrambi supportati da milizie particolari. Ciò era maggiormente sentito in occasione dell'elezione del Papa, ormai non più soltanto Vescovo di Roma, ma con poteri che si estendevano su tutto l'occidente cristiano, nel quale, grazie all'opera di Gregorio Magno e dei monaci (soprattutto celtici) si assistè nel corso di tutto il secolo VIII ad un rapido sviluppo dell'attività missionaria, che da allora si affermò sempre più quale attività cardine della Chiesa cattolica.

* * *

Abile nell'approfittare delle reazioni suscitate in Occidente dalla crisi iconoclasta fu Liutprando, re longobardo salito al trono nel 712, il quale invase l'Esarcato di Ravenna e la Pentapoli. Pronta fu l'opposizione di Papa Gregorio II e del suo successore, Zaccaria, il quale fece presa sul sentimento profondamente cattolico del sovrano ottenendo il suo ritiro dai territori occupati, oltre ad un'ingente quantità di terreni e castelli.

Tale stato di cose si mantenne anche con il successore di Liutprando, Rachis, il quale, però, dopo cinque anni di regno, lasciò la corona e si fece monaco.

Le cose cambiarono con l'ascesa al trono nel 749 del fratello di Rachis, Astolfo, il quale occupò nuovamente l'Esarcato ravennate e la Pentapoli. Naturalmente ciò non trovò d'accordo il papa, Stefano II, il quale, dopo un inutile viaggio a Pavia per convincere il sovrano longobardo a far cessare l'occupazione, giunse a Ponthion, ove, il 7 gennaio del 754, ebbe un incontro con il re franco, Pipino, capostipite della nuova dinastia carolingia ed asceso al trono tre anni prima con l'appoggio determinante dell'allora Papa, Zaccaria. Ora, Pipino si impegnava, tra l'altro ad intervenire presso Astolfo per la restituzione alla Corona bizantina dell'Esarcato e della Pentapoli.

Falliti i tentativi sul piano diplomatico, fu decisa un'azione di forza ed un primo intervento militare franco si ebbe nell'aprile del 754 con l'assedio di Pavia. Ma al ritiro delle truppe franche, Astolfo non solo non sgombrò i territori bizantini occupati, ma nel 756, assediò con le proprie truppe la stessa Roma. Un secondo intervento militare franco costrinse nello stesso anno i Longobardi a desistere dai propri intenti e, invece di tornare alla Corona di Costantinopoli, la Pentapoli e l'Esarcato passarono al Papa. Nasceva così lo Stato Pontificio, ove il re franco, dal Papa nominato "Patrizio dei Romani", assumeva l'alta carica di protettore della Chiesa e della sede pontificia.

Un ultimo tentativo di rivalsa longobarda si ebbe nel 771, quando Desiderio, successo ad Astolfo nel 756 con l'appoggio del Papa, non volendo cedere alla Corona pontificia alcune città dell'Emilia come ricompensa all'appoggio ricevuto, preferì avanzare con le proprie truppe fin sotto le mura di Roma. Intanto la figlia di Desiderio, Desiderata, era andata sposa a Carlo, re dei Franchi dopo la morte di Pipino (24 settembre del 768), portando una temporanea ventata di distensione tra le due Corone. Ben presto, però, tornarono alla luce le antiche rivalità, e, nel 773, le truppe di Carlo giunsero a Pavia e a Verona, che capitolarono solo alcuni mesi più tardi (774), mentre Desiderio finì prigioniero in *Francia* (nome dato alla Gallia in onore dei Franchi).

Carlo divenne così re dei Franchi e dei Longobardi. Sul piano amministrativo i duchi longobardi vennero rimpiazzati dai *conti* franchi. Si chiudeva l'epoca dei regni romano-barbarici.

Carlo Magno e il Sacro Romano Impero

La notte di Natale dell'800, nella basilica di San Pietro, a Roma, il re dei Franchi, Carlo, venne incoronato imperatore da Papa Leone III.

Salito al trono nel 768, come già visto, aveva subito intrapreso un'intensa attività militare con ingenti conquiste territoriali. Una prima spedizione contro gli Arabi in Spagna nel 778 era terminata con la disfatta di Roncisvalle, ove agli Arabi s'erano aggiunti i Baschi, che avevano fatto strage della retroguardia franca, nella quale, tra gli altri, avrebbe combattuto, morendo poi sul campo di battaglia, quell'Orlando (o Rolando), alla cui figura di cavaliere e di soldato fu dato ampio spazio nella letteratura epico-cavalleresca. Ma tre anni più tardi, nell'801, Carlo riuscì a conquistare un territorio che si estendeva sino a Barcellona e che prese il nome di Marca Spagnola. Si chiamavano infatti *marche* le unità amministrativo-territoriali situate lungo i confini del regno carolingio e godevano di una particolare tutela militare. Esse erano governate da un *marchese*, che rappresentava il Sovrano in tutte le sue funzioni. I territori non di confine si chiamavano invece *contee*, poiché rette da un *conte*, anch'egli rappresentante plenipotenziario della Corona.

Più fortunate di quelle in Spagna erano state invece le campagne al nord e a Oriente, giungendo così a fissare i confini del regno lungo l'Elba e un tratto dell'alto Danubio.

Nel capitolo precedente abbiamo parlato dell'annessione al regno Franco di quello longobardo, in seguito alle campagne d'Italia.

Con il gesto di Papa Leone III nasceva il *Sacro Romano Impero* e veniva con esso ripristinato in Occidente l'istituto imperiale, mancante da quasi tre secoli e mezzo.

Il Paese, come abbiamo detto, si divideva in contee, che prendevano il nome di marche qualora si trovassero lungo le zone di frontiera, ed i loro funzionari, fossero essi conti o marchesi, erano affiancati nelle proprie mansioni dai vescovi, integrati a pieno titolo nel sistema amministrativo carolingio. Era inoltre in mano a funzionari ecclesiastici la cancelleria imperiale, mentre erano sia ecclesiastici che laici i così detti *missi dominici*, che avevano l'incarico di compiere periodiche ispezioni attraverso tutto il territorio dell'Impero.

L'economia del paese era essenzialmente agricola e si sviluppava prevalentemente attorno alle grandi abazie benedettine e nelle così dette *ville*, grosse tenute agricole, gestite direttamente dalla Corona oppure dall'amministrazione locale, anche vescovile, che divennero, col tempo, veri e propri centri abitati dal nome spesso legato alle antiche origini. Si trattava, dunque, di realtà economiche chiuse che rispecchiavano la fase di decadenza che si stava attraversando, caraterizzata dalla quasi completa assenza di commerci e dallo scarso uso del denaro. Ciò trovava particolarmente sensibile l'Imperatore, il quale cercò di ridare impulso alle attività commerciali migliorando le comunicazioni stradali e riformando il sistema monetario, che con lui divenne di esclusiva competenza della Corona.

Notevole fu, al contrario, la rinascita culturale, che ebbe come suo centro vitale la *Schola Palatina*, un'istituzione sorta nel 782 per volontà dello stesso Sovrano presso la Corte ed alla quale fecero capo studiosi da tutta Europa, tra i quali si distinsero il franco Eginardo, autore di una biografia di Carlo, e il longobardo Paolo Diacono, autore di una *Storia dei Longobardi*.

Sul piano strettamente istituzionale persisteva il grave problema della successione al trono. Presso i Franchi, infatti, alla morte del sovrano, il territorio del regno veniva diviso tra tutti i figli di quello, senza, quindi, preoccupazione per l'unità politica del Paese, giacché esso era considerato patrimonio personale del monarca. Sta di fatto che lo stesso Carlo (al quale, dati gli alti meriti, fu attribuito, come per Papa Gregorio, l'appellativo di Magno), padre di tre figli, Carlo, Pipino e Ludovico, seguì tale prassi successoria e solo la prematura scomparsa dei primi due figli fece sì che alla morte del padre, il 28 gennaio dell'814 ad Acquisgrana (*Aachen* in tedesco, *Aix-La-Chappelle* in francese), l'Impero rimase unito sotto l'unico successore, Ludovico I, detto *il Pio*, per il suo profondo fervore religioso. Questi, nell'817, emanò un'ordinanza che risolse la questione successoria a favore del figlio primogenito, Lotario, che, in qualità di erede al trono, nel 824, promulgò, per volontà del padre, una sorta di "Costituzione", dalla quale, tra l'altro, appariva chiaramente la tesi della subordinazione del Papa all'Imperatore, rappresentato a Roma da un *Messo*, nelle mani del quale ogni neo-eletto pontefice avrebbe dovuto prestare giuramento di fedeltà al Sovrano, giuramento al quale erano tenuti anche i sudditi del Papa, mentre era facoltà della Corona intervenire nei confronti dei funzionari pontifici. Infine era previsto per il messo imperiale l'obbligo di inviare annualmente alla Corte un rapporto sulle vicende interne romane.

Gli ultimi anni di regno di Ludovico il Pio furono caratterizzati da una crescente instabilità, riconducibile, in gran parte, alle ingerenze della seconda moglie, Giuditta di Baviera, che reclamava alcuni diritti per il figlio nato da lei, Carlo, noto in seguito come Carlo il Calvo. Aspre lotte tra i figli del monarca sconvolsero il Paese e, nell'833, veniva deposto lo stesso imperatore, il quale riprese il proprio trono soltanto un anno più tardi. Morì nell'840. Succedutogli quale nuovo imperatore, Lotario dovette ben presto far fronte alla rivolta mossa contro di lui dai fratelli, Carlo il Calvo e Ludovico, i quali si coalizzarono con un solenne giuramento che ebbe luogo a Strasburgo nell'842. La pace giunse l'anno seguente con il trattato di Verdun, in virtù del quale l'Impero venne diviso in tre parti. A Lotario, solo formalmente ancora imperatore, spettò l'Italia e la Lotaringia (regione situata tra il Reno, la Mosa e la Schelda), Ludovico ricevette la Germania e Carlo il Calvo ottenne la Francia. Alla base del nuovo assetto territoriale stava il formarsi di tre grandi nazionalità europee: quella francese, quella tedesca e, più tardi, anche quella italiana. Non dimentichiamo che lo stesso giuramento di Strasburgo non era stato pronunciato in latino, bensì nel volgare tedesco e romanzo (non si poteva ancora parlare di vera e propria lingua francese), delineando sin da quel momento il nuovo corso storico di quella parte d'Europa.

Morto Lotario nell'855, dopo un ulteriore frazionamento del territorio posto sotto la sua diretta amministrazione, gli successe, con un titolo di imperatore ormai privo di peso politico, il figlio Ludovico II, diretto titolare del solo regno d'Italia.

Tale situazione preoccupava fortemente il Papa, il quale, nell'agosto dell'846, vide la basilica di S. Pietro saccheggiata dai pirati *saraceni* (sinonimo), ma solo per quell'epoca, di *arabi*), mentre era in corso dall'827 la conquista della Sicilia da parte dell'emirato arabo tunisino, che la portò a termine nel 902 con la caduta di Taormina, ultimo caposaldo bizantino nell'isola. Nell'839 furono occupate dagli Arabi le città di Bari e di Taranto, riprese successivamente dai Bizantini rispettivamente nell'871 e nell'880.

A Roma, intanto, erano ormai maturi i tempi perché la Santa Sede, con l'elezione di Papa Nicolò I, si svincolasse dalla tutela imperiale, mentre nell'875, Papa Giovanni VIII decretò il principio che conferiva al Capo della Chiesa Cattolica il diritto di assegnare le Corone a propria discrezione. Ciò si verificò in occasione dell'incoronazione ad Imperatore di Carlo il Calvo. Ma, mentre si compivano gli ultimi sforzi per mantenere in vita le istituzioni imperiali, l'Europa entrava ormai in una nuova realtà storico-politica: il *feudalesimo*.

Gli anni bui dell'epoca feudale

Un'ultima parentesi di unità politica dell'Impero si ebbe con Carlo il Grosso, dall'877 all'887, anno della sua deposizione, dopodiché seguì il definitivo smembramento del Paese in sei regni: la Francia, la Lorena, la Borgogna, la Provenza, la Germania e, infine, l'Italia (di cui s'intende, naturalmente, quella parte che era appartenuta all'Impero, dunque, senza Roma e tutto il Sud con le isole).

Ad eccezione della Germania, la cui situazione era meno critica che altrove, la vita dei nuovi stati era iniziata all'insegna della più completa anarchia, fatta di continue lotte tra i successori della dinastia carolingia. Una nuova istituzione era intanto venuta affermandosi in tutto l'occidente europeo: il *feudalesimo*.

Si trattava di un'usanza sorta in Francia per lo più nel VII secolo con l'affermarsi della grande aristocrazia terriera, alla quale il Sovrano era sempre più disposto a fare concessioni per ottenere da essa aiuti soprattutto militari, specialmente quando si rese necessaria la preparazione di un forte contingente, composto soprattutto da soldati a cavallo (i *cavalieri*), per affrontare l'avanzata musulmana. Il Re – poi Imperatore – concedeva una determinata porzione di territorio ad un nobile locale che ne diveniva signore assoluto e godeva pure del diritto di immunità verso gli stessi funzionari della Corona, i quali non avevano potere di intromissione nelle faccende interne del *feudo*, nome con cui venne chiamato tale territorio a partire dall'epoca carolingia. Il signore del feudo (o *feudatario*) diventava *vassallo* del Sovrano, ossia era legato a lui da un vincolo personale di fedeltà ed aveva verso quest'ultimo importanti obblighi, tra i quali quello di conferirgli le reclute in caso di guerra, o di offrirgli la propria ospitalità, se necessario.

Il sistema feudale fu uno dei fattori che contribuirono alla disgregazione dell'impero carolingio; infatti gli stessi conti, che dapprima erano stati semplici funzionari imperiali e la cui carica aveva avuto precise scadenze, in séguito divennero feudatari, sempre più autonomi, in grado di trasmettere i propri diritti ai loro eredi.

Ogni feudo si presentava come una realtà a sé stante. Vero centro della vita nel feudo era il castello. Vi risiedeva il feudatario con i propri servi e gli *armigeri* (guardie, soldati ecc. - addetti all'uso delle armi); vi risiedeva pure il *carnefice*, che eseguiva materialmente le condanne a morte, meglio noto nei secoli futuri come il *boia*. Con le sue mura e le sue torri il castello costituì sempre più un punto di riferimento per la popolazione che tese col tempo ad insediarsi in numero sempre crescente nei dintorni di esso, spinta dal timore di saccheggi e scorrerie, che accompagnavano le frequenti vicende militari nelle quali si trovavano coinvolti i vari signori.

* * *

Tornando alle vicende italiane, il regno d'Italia, creato in seguito alla disgregazione dell'Impero dall'887, era passato nelle mani di Berengazio I, marchese del Friuli. Ben presto però esso fu aspramente conteso tra numerosi pretendenti, tra i quali Guido e Lamberto di Spoleto, Ludovico di Provenza e Rodolfo di Borgogna. E mentre proseguiva la rapida successione dei sovrani d'Italia, da Ugo di Provenza a Berengario II d'Ivrea, anche il Papato divenne schiavo delle diverse fazioni in lotta e, soprattutto, dell'emergente aristocrazia romana, rappresentata dalla potente famiglia del senatore Teofilatto, la cui figlia Marozia riuscì a far eleggere papa il proprio figlio illegittimo sotto il nome di Giovanni XI, suscitando però le ire dell'altro figlio, Alberico il quale, fatti imprigionare la madre col fratellastro papa ed allontanato Ugo di Provenza, allora sposo della madre stessa, instaurò una sorta di repubblica aristocratica, sforzandosi di attuare alcune riforme. Ma alla sua morte, la sua opera fu vanificata dall'incompetente figlio Ottaviano, che regnò in Roma dapprima come signore e poi, dal 956 al 963, come papa sotto il nome di Giovanni XII.

Dallo stesso papa veniva incoronato a Roma imperatore, nel 962, Ottone I di Sassonia.

Tre furono gli obbiettivi del nuovo monarca. Il primo fu quello di ridare corpo all'autorità imperiale, e ciò gli riuscì, in primo luogo, sostituendo i duchi di Baviera, Franconia, Lorena e Sassonia con suoi congiunti; in séguito rafforzò il sistema di controllo svolto dai *conti paladini*, funzionari addetti all'amministrazione dei beni della Corona, situati in tutto il territorio dell'Impero. Ma per far fronte al pericolo che costituiva il privilegio ereditario ormai da tempo acquisito dalle antiche famiglie feudali, Ottone I istituì i *vescovi conti*, i quali, in qualità di vescovi non potevano, in obbedienza al diritto canonico, avere famiglia, e così non potevano trasmettere i propri feudi a figli eredi, con gran vantaggio per la Corona, la quale, con tale politica, si guadagnò, specialmente in Germania, il sostegno del clero, anche contro i feudatari laici.

Raggiunto questo primo obbiettivo, non fu difficile per Ottone pervenire al secondo, cioè riaffermare l'autorità imperiale sul Papa, tesi che lo stesso sovrano aveva in precedenza sancito. Lo si vide quando, dopo averlo incoronato imperatore, Papa Giovanni XII, dovette giurargli fedeltà, giacché, oltre tutto, Ottone assumeva l'alta sovranità feudale su Roma. Fu per volontà sua che venne eletto il successore di Giovanni XII, Leone VIII.

Terzo traguardo da raggiungere era quello di riunire al *Sacro Impero Romano-Germanico* (denominazione conferita al nuovo istituto imperiale) l'Italia meridionale, cosa che gli riuscì solo in parte, ottenendo l'omaggio feudale da parte dei duchi di Benevento e di Capua. Tuttavia era di non poca importanza sul piano diplomatico l'ottenere il riconoscimento della propria dignità imperiale dal sovrano di Costantinopoli.

Analoga fu la politica del figlio, Ottone II, succeduto, alla morte del padre, nel 973. Mentre, però, a Roma questi riuscì ad aver ragione sulla condotta anti-imperiale del nobile Crescenzio, il quale era anche riuscito a far eleggere un papa di propria fiducia facendo cacciare quello gradito al Sovrano, così non fu per la campagna militare che Ottone II intrapprese nell'Italia meridionale per accrescervi i propri possessi territoriali, giacché l'impresa si concluse con la disfatta di Stilo, in Calabria, del 982, ad opera delle milizie musulmane.

Riparato a Roma, Ottone vi morì l'anno successivo, lasciando il trono al figlio, ancora bambino, Ottone III. Questi, una volta maggiorenne, avviò una politica di chiaro disinteressamento per le faccende della Germania, dove gli antichi feudatari non tardarono a riacquisire l'antica potenza, mentre rivolse tutte le proprie energie al mito di Roma, nella quale si stabilì facendo eleggere papa dapprima il cugino sotto il nome di Gregorio V, poi il proprio *precettore* (sorta di educatore, insegnante privato), Gerberto d'Aurillac, col nome di Silvestro II. Ma l'eccessiva fastosità della corte imperiale ed il carattere eccentrico dello stesso monarca, causarono un progressivo malcontento popolare che, nel 1001, sfociò in un'aspra rivolta che si concluse con l'allontanamento da Roma sia di Silvestro II che dello stesso imperatore, il quale all'inizio del 1002, si ammalò gravemente e morì ancora *celibe* (non sposato) a soli 22 anni. Fu sepolto ad Aquisgrana, come era avvenuto in precedenza per Carlo Magno.

Ultimo discendente della dinastia sassone fu Enrico II, incoronato imperatore nel 1014 da Papa Benedetto VIII, dopo essere riuscito ad avere ragione su Arduino, marchese di Ivrea, pretendente alla Corona d'Italia. Anche il nuovo imperatore tentò nel 1021 una spedizione nel *mezzogiorno* (il Sud) della penisola, ma non ebbe successo. Morì in Germania nel 1024 anch'egli senza lasciare eredi.

La Corona passò alla dinastia di Franconia, con Corrado II il Salico, il quale dovette immediatamente far fronte ai crescenti attriti tra grandi e piccoli feudatari, attriti che non tardarono a diventare veri e propri scontri. È facile immaginare come il nuovo monarca potesse far maggiore affidamento sulla feudalità di più basso rango, giacché l'altra, laica o ecclesiastica, tendeva sempre a sfuggire al controllo imperiale, grazie anche all'ormai consolidato principio (per i vassalli laici) di ereditarietà della signoria sui propri feudi, privilegio di cui non godevano i vassalli minori, i quali manifestarono ben presto al Sovrano le proprie posizioni a favore di un'equiparazione ai loro colleghi di rango superiore. Fu così che, con un decreto imperiale del 1037, Corrado II estese anche ad essi il diritto di trasmettere la dignità di feudatari ai propri eredi.

Tuttavia i tempi stavano cambiando; e se in Germania l'assetto istituzionale non doveva ancora subire grandi mutamenti, non era così in Italia, ove la vita delle città non era mai del tutto tramontata ed ora accennava a riprendere vigore ed una più larga fascia di cittadini si sentiva chiamata a partecipare attivamente alla vita politica locale, ponendo così le premesse per il sorgere dei *liberi comuni*.

L'XI secolo e il grande risveglio

Lo stato di degrado e di decadenza nel quale era venuto a trovarsi l'occidente europeo verso la fine del primo millennio della nostra èra faceva sorgere in molti la convinzione che, allo scoccare dell'anno 1000, sarebbe avvenuta la fine del mondo.

Al contrario, già con Ottone I e la sua politica di rinvigorimento delle istituzioni imperiali, erano apparsi i primi segni di una rinascita.

L'XI secolo, infatti fu il secolo della ripresa. Un notevole aumento della popolazione nel continente europeo si ebbe per lo stabilirsi definitivo nella regione danubiana di popolazioni slave e magiare che cessarono di essere nomadi e, convertitesi al cristianesimo, crearono proprie entità politiche, come il regno di Moravia e quello di Ungheria. Crebbe la popolazione nelle campagne, rese più fertili da numerose opere di bonifica, compiute, in particolare dai monaci benedettini. Attorno ai castelli si svilupparono nuovi centri abitati, i *borghi*, nei quali fiere e mercati sempre più frequenti erano il segno di un incremento dell'attività commerciale, che, per un numero sempre maggiore di individui, si affiancò o si sostituì all'attività puramente agricola. Fu dallo stretto legame tra questa nuova classe sociale, né contadina né intellettuale, ed il suo definirsi *borghese*, perché viveva nel *borgo*, che in séguito si definì con questo termine, indipendentemente da dove abitasse, quella classe che raggruppava in sé tutte quelle persone che svolgevano professioni che non fossero il lavoro dei campi o, viceversa, attività strettamente intellettuali o pubbliche. Anche le città, , dopo il letargo dei secoli oscuri, ritrovavano nel palazzo vescovile il centro del proprio risveglio. Una nuova istituzione si poneva al centro della rinata economia: sorgevano infatti a Firenze le prime banche.

Ma la rinascita non era solo economica, bensì soprattutto culturale. Ad Oxford, a Parigi e, in Italia, a Bologna vennero fondate le prime università, allora vere e proprie associazioni degli studenti che sceglievano, assumevano, ed anche licenziavano i loro cattedratici. Qui si riscopriva il diritto romano, mentre la filosofia e la teologia offrivano argomenti nuovi per approfondite discussioni, preparando la strada alla grande rinascita del pensiero dei secoli successivi.

Tuttavia l'XI secolo fu anche un secolo di aspri scontri tra i diversi ranghi della feudalità: feudatari di rango inferiore contro feudatari di rango superiore, ecclesiastici contro laici.

Ma la crisi che pervase il sistema feudale a cavallo tra i due millenni non si ebbe tanto sul versante politico quanto, piuttosto, su quello sociale.

Si era ormai saldamente affermato il principio di ereditarietà dei feudi, che però riguardava solamente il primo figlio maschio di un feudatario; gli altri figli intraprendevano o la carriera ecclesiastica o quella militare, ponendosi al servizio di questo o di quel signore. Spesse volte, però, in quest'ultimo caso, essi preferivano rimanere liberi e vivere di razzie e di saccheggi. Erano questi i cavalieri. Essi avevano costituito l'arma più importante nell'esercito carolingio, permettendo a quest'ultimo di vincere a Poitiers, ed erano ancora destinati ad un ruolo chiave anche nelle future campagne. Ora, però, in un momento di profondo decadimento della loro immagine, solo un'azione paziente e costante della Chiesa poteva nobilitarla, trasformando quegli avventurieri predoni nei difensori dei deboli, delle vedove e degli orfani.

Ma l'azione della Chiesa non fu diretta solo verso l'esterno: forze nuove stavano maturando anche all'interno della sua struttura per operare in essa un'importante e rivitalizzante trasformazione. Difatti, dopo la fine dell'Impero Carolingio, si era accresciuto ulteriormente il ruolo politico del clero a scapito di quello spirituale. La politica degli Ottoni aveva accentuato tale fenomeno mediante la nomina dei vescovi-conti, sempre meno vescovi e sempre più conti, sempre più politici corrotti e sempre meno sacerdoti e pastori dediti alla cura delle anime. Anche il Papato era divenuto succubo dell'aristocrazia romana oppure della volontà imperiale. C'era assoluto bisogno di una nuova ventata di spiritualità.

Già nel 910 il duca Guglielmo di Aquitania aveva fondato a Cluny un monastero ove si incoraggiò il ritorno all'originaria regola benedettina. In breve tempo il monastero di Cluny divenne un importante centro di irradiazione spirituale. Il fenomeno non rimase isolato, giacché furono numerosi i monasteri che sorsero con gli stessi propositi. In Italia venne fondato il monastero di Vall'Ombrosa e nel 1012 san Romualdo fondò quello celebre di Camaldoli, in Toscana.

Di fondamentale importanza per l'azione riformatrice del movimento cluniacense fu uno speciale decreto pontificio che conferiva al monastero di Cluny e ai suoi quasi duemila affiliati un regime di autonomia dai vescovi delle diocesi in cui questi sorgevano, e poneva l'Abate alle dirette dipendenze dalla Santa Sede, suscitando in tal modo l'aperta ostilità di non pochi vescovi feudatari.

Altro importante messaggio fu quello irradiato dai monaci certosini e dai cistercensi, le cui regole avevano la loro origine da un movimento ascetico che, sviluppatosi in Italia, aveva avuto in San Nilo il proprio portavoce.

Sull'onda di tale zelo religioso si ebbero in Italia numerose proteste contro i vescovi conti: le più violente furono quelle condotti da un certo Anselmo da Baggio a Milano, ove il vescovo era sospettato di *simonia* (grave mancanza contro la religione cattolica, consistente nel fare mercato di sacramenti o di altri istituti legati alla fede), nonché quelli di Firenze, che si conclusero addirittura con l'espulsione del vescovo locale, Mezzabarba, accusato anch'egli di essere un simoniaco.

Ma, come tutte le cose che sono oggetto di esagerazione, anche il movimento ascetico in Italia sfociò in correnti più o meno devianti dall'ortodossia cattolica, come i *catari*, ben presto banditi dalla cristianità.

Anche la Corona imperiale, specie con Enrico III di Franconia, fu a favore del fenomeno riformatore, ma il conflitto riemerse quando si riparlò di eliminare le ingerenze imperiali nell'elezione del pontefice, dando in tal modo inizio alla così detta *lotta per le investiture*.

Infatti erano giunti i tempi per una riforma sostanziale della Chiesa anche dal punto di vista giuridico; e ciò non poteva avvenire se non attraverso l'autonomia del potere spirituale da quello temporale. Come si è visto, l'inglobamento dell'apparato ecclesiastico nel sistema politico mediante l'istituzione dei vescovi conti non era stato certo un bene per il clero, che, al contrario, aveva pian piano assunto i difetti che caratterizzavano l'ambiente politico laico. Malgrado il celibato e la castità fossero già da secoli obbligatori per sacerdoti e vescovi cattolici, erano divenuti frequenti gli episodi di concubinato. Inoltre si era diffusa largamente la corruzione e dilagava la piaga della simonia.

Era dunque necessario tornare alle origini mediante un'azione di profonda *moralizzazione*. A tale compito provvide per primo Papa Niccolò II, che, nel 1059, riunì a Roma un sinodo, conclusosi con numerosi importanti decreti che andavano da severe condanne contro la simonia ed il concubinato al divieto di accettare cariche ecclesiastiche da laici, compreso lo stesso Imperatore. Inoltre venne preclusa ai laici la partecipazione alla nomina dei vescovi, mentre l'elezione del Papa sarebbe spettata al Collegio dei Cardinali e non più al clero ordinario e al popolo, o all'Imperatore.

Tale opera purificatrice fu continuata dal successore di Niccolò II, Alessandro II (1061-1073), già incontrato con il nome di Anselmo da Baggio, in occasione della rivolta contro il vescovo di Milano. Ma l'apice dell'azione riformatrice fu raggiunto da Ildebrando di Soana, eletto papa con il nome di Gregorio VII, autore di un *dettato papale* in cui, tra le altre cose, veniva affermato il principio della *teocrazia*, vale a dire la superiorità del Pontefice, arbitro indiscusso di tutta la vita ecclesiastica, sull'Imperatore.

La reazione dell'Imperatore, Enrico IV, non si fece attendere. Nel 1076 fu indetto dal sovrano un sinodo a Worms, ove Gregorio VII venne dichiarato decaduto dalla propria carica. Nell'atto che rendeva noto al pontefice il provvedimento fu acclusa una lettera irrispettosa verso il medesimo, il quale non tardò a pronunciare nei confronti di Enrico IV la sentenza di scomunica, che escludeva l'imperatore dalla comunità dei Cristiani, nonché dal diritto di partecipazione alle funzioni religiose e a ricevere i sacramenti. Inoltre i sudditi venivano sciolti dai vincoli derivanti dal giuramento di fedeltà al monarca.

Alla scomunica del Sovrano seguirono le rivolte in Sassonia e nella Germania meridionale, ove, ad Augusta (*Augsburg* in tedesco), venne convocato un sinodo che si sarebbe dovuto concludere con la destituzione dello stesso imperatore, il quale, però, ben deciso a non cedere, si recò al castello della contessa Matilde di Canossa, presso la quale aveva trovato ospitalità Gregorio VII in viaggio per Augusta, per ottenere da costui il perdono e, dunque, la revoca della scomunica. Le insistenze del monarca e le pressioni della contessa convinsero il papa, inizialmente riluttante, ad acconsentire. Ma, appena ottenuta tale revoca, Enrico IV non esitò a riprendere lo scontro con il pontefice e, sedate le ribellioni in Germania, mosse verso Roma, ove giunse il 2 giugno 1083. Mentre Gregorio VII si era rinchiuso in Castel Sant'Angelo, Enrico IV ricevette, l'anno seguente, la corona imperiale dall'*antipapa* Clemente III, da lui fatto salire al soglio pontificio. Solo i Normanni, con Roberto il Guiscardo, che nel frattempo si erano stabiliti nel Sud dell'Italia, poterono liberare dall'assedio l'anziano papa, che morì esule a Salerno il 25 maggio del 1085. Esule a Liegi, morì pure, nel 1106, Enrico IV, umiliato dallo stesso figlio, Enrico V, che in una rivolta aveva dichiarato il padre decaduto dalla carica di sovrano.

La lotta per le investiture subiva così una temporanea tregua, ma era destinata a riaccendersi nei decenni successivi; tant'è che solo nel 1122 si giunse ad una soluzione di compromesso tra l'imperatore ed il papa, Callisto II, resa ufficiale nel concordato di Worms, che sancì definitivamente la non ingerenza laica nell'elezione dei papi e dei vescovi, e che concluse, almeno ufficialmente, la lunga diatriba tra l'Impero e la Chiesa di Roma.

Le Crociate

Rinvigorita dal movimento riformatore, la Chiesa Romana decise di dare il proprio appoggio alla riscossa cristiana contro l'espansione dell'Islam durante tutto il secolo XI.

Gli Arabi persero la Sardegna e poi la Sicilia, mentre iniziava la riconquista cristiana della Spagna. Più critica era la situazione in Oriente, ove l'Impero Bizantino doveva far fronte all'avanzata dei Turchi i quali, dopo gli stessi Arabi, avevano conquistato Gerusalemmme, con il Santo Sepolcro di Cristo, mèta di pellegrinaggio per i Cristiani.

Già Papa Gregorio VII aveva caldeggiato la costituzione di una lega militare cristiana in difesa dell'Impero Bizantino; ma fu Papa Urbano II che, riunì nel 1095 un concilio a Piacenza e, subito dopo un altro a Clermont, nei quali lo stesso papa si dichiarò a favore di una campagna militare in difesa del mondo cristiano in Oriente.

L'appello fu accolto con tale euforia che un gruppo di *crociati* (così detti perché recavano sullo scudo una croce latina, simbolo della cristianità) volle partire in anticipo in direzione di Gerusalemme. Lungo il percorso, però, essi si resero responsabili di numerosi e poco nobili atti, come saccheggi e massacri di Ebrei, mentre subirono diversi attacchi da parte degli Ungari e dei Bulgari, finché furono definitivamente battuti dai Turchi presso Nicea, nell'Asia Minore.

Le cose andarono diversamente per coloro che partirono con la spedizione "ufficiale", sotto la guida di Ademaro, vescovo di Puy ed affidata militarmente a Goffredo di Buglione, duca della Bassa Lorena. Partita da Costantinopoli, la spedizione riportò importanti vittorie a Nicea ed a Dorileo; quindi, conquistata Antiochia, assediò e conquistò Gerusalemme nel 1099.

La città divenne capitale di un regno che venne affidato allo stesso Goffredo di Buglione, che ricevette il titolo di "Difensore del Santo Sepolcro". L'avvenimento segnò pure l'introduzione del sistema feudale in Oriente, giacché, attorno al Buglione, nacque una serie di signorie feudali formalmente alle sue dipendenze, ma autonome di fatto. Esse vennero assegnate ai maggiori rappresentanti dell'alta feudalità europea occidentale che avevano preso parte alla spedizione. A Baldovino di Fiandra, per esempio, venne attribuita la contea di Edessa, mentre il principato di Antiochia andò al nobile normanno Boemondo.

Ora, trasferendosi in Oriente, questi grossi feudatari avevano lasciato campo libero ai sovrani dei loro paesi d'origine, i quali, non dovendo più far fronte al continuo rafforzarsi di quei loro vassalli, poterono imporre più agevolmente la propria autorità, traendo, dunque dalla crociata un indiscutibile vantaggio.

Numerosi ordini cavallereschi, quali i Cavalieri Gerosolimitani, i Templari, i Cavalieri Teutonici, ecc., sorsero con lo scopo primario di difendere le conquiste cristiane. Ma ben presto i Musulmani, si riorganizzarono al comando di Salah ad-Din Yusut ibn Ayyub, il condottiero turco meglio noto come Saladino, divenuto in precedenza sultano d'Egitto dopo avervi deposto la locale dinastia araba fatimide. Questi entrò con il proprio esercito in Gerusalemme il 3 ottobre 1187 e vi fece prigioniero il re, Giovanni di Lusignano.

Una nuova crociata partì per l'Oriente nel 1189, guidata dall'Imperatore, Federico I di Svevia, detto Barbarossa, dal re di Francia, Filippo II Augusto, e da quello d'Inghilterra, Riccardo Cuor di Leone. Il Barbarossa trovò la morte in Asia minore durante l'attraversamento di un fiume, mentre il re di Francia rientrò in patria in séguito a discordie con quello inglese. Rimasto solo, Riccardo si limitò a prendere Cipro, dopo di che, nel 1192, concluse con il Saladino una tregua, che sanciva per i Cristiani il possesso di San Giovanni d'Acri, Antiochia, Tripoli (di Siria) e Giaffa, e lasciava loro libero accesso al Santo Sepolcro.

Le Repubbliche Marinare

Se da un lato le Crociate segnarono l'inizio e la conclusione del prestigio delle istituzioni feudali in Oriente, esse furono ancor più importanti per i contatti commerciale che si svilupparono di conseguenza nel Mediterraneo, nei quali si stava ormai delineando il ruolo dominante delle Repubbliche Marinare italiane.

Esse ebbero questo appellativo proprio per la loro posizione geografica e per la loro economia, legata principalmente al mare. Prima tra esse a raggiungere il massimo della prosperità fu Amalfi, sulla costa tirrenica dell'Italia meridionale. Assieme a Napoli e Gaeta, Amalfi aveva partecipato alla vittoria di Ostia dell'849 contro gli Arabi ed all'impresa del marchese Alberico di Spoleto contro i Saraceni sul Garigliano. Supportò validamente con la propria flotta la prima crociata ed ebbe in compenso ampi privilegi nel Regno di Gerusalemme.

Importante fu il contributo di Amalfi al progresso della navigazione, grazie alle *Tavole Amalfitane*, primo esempio di codice commerciale e marittimo. Ma era soprattutto un amalfitano quel Flavio Gioia, che diede alla propria città l'onore di introdurre per prima in Occidente (importandola dalla Cina) la bussola quale strumento per l'orientamento.

Ma le glorie di Amalfi durarono poco. Conquistata dai Normanni nel 1131 e saccheggiata dai Pisani sei anni più tardi, essa non ebbe più la forza di riprendersi e scomparve rapidamente dalla scena attiva del Mediterraneo.

Ma il declino di Amalfi fu dovuto pure all'ascesa di altre due Repubbliche Marinare, Pisa e Genova, i cui eserciti avevano sconfitto nel 1016 i Saraceni togliendo loro la Sardegna, che fu ben presto zona di monopolio commerciale di Pisa, mentre ampi monopoli in Oriente derivarono ad entrambe le repubbliche in séguito alla loro partecipazione alla Prima Crociata. Una lunga e salda alleanza permise alle due città di condurre un'efficace politica di predominio nel Tirreno e di espansione sino agli inizi del secolo XII, quando l'intenzione di Pisa di annettersi a tutti gli effetti la Sardegna suscitò le reazioni genovesi, dando così inizio ad una lunga serie di lotte che limitarono fortemente le capacità espansionistiche delle due contendenti.

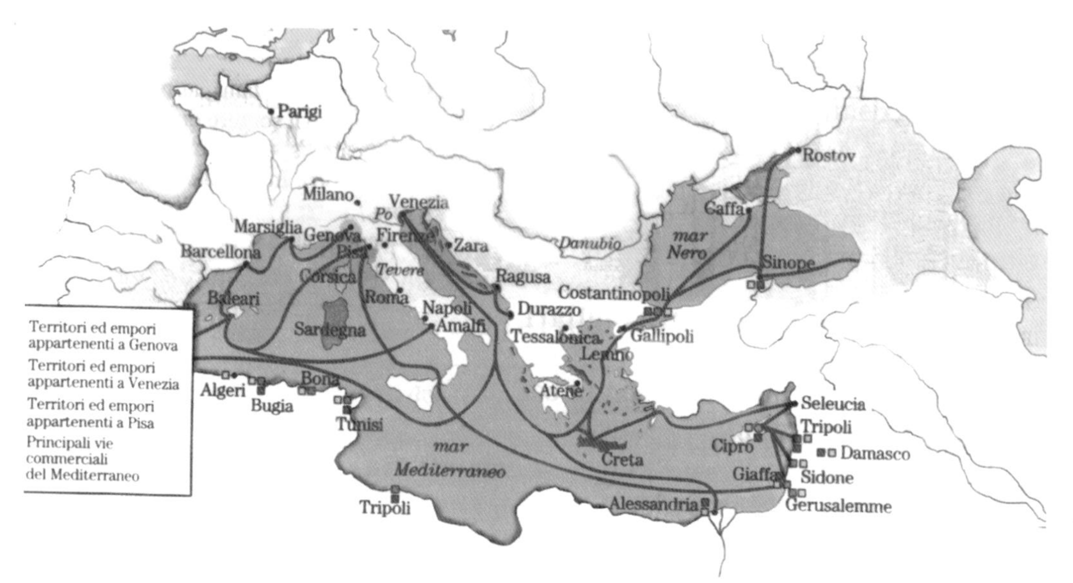

Le Repubbliche Marinare.

Sinora abbiamo parlato delle Repubbliche Marinare che sorsero sulla sponda tirrenica dell'Italia. Sul versante adriatico stava nascendo quella che, tra le quattro Repubbliche Marinare, legò maggiormente le proprie vicende a quelle del Mediterraneo orientale: Venezia.

La sua storia era incominciata quando le popolazioni che vivevano nei pressi della Laguna Veneta si erano stabilite nelle piccole isole della laguna stessa per sfuggire alle invasioni barbariche. Sempre più autonoma da Costantinopoli, sino alla completa indipendenza, essa fu in grado di sostenere un'aspra lotta contro i pirati nell'Adriatico, e di affermare, già sul finire dell'XI secolo, un incontrastato predominio su quel mare.

Sul piano politico Venezia era governata da *Tribuni* locali, dipendenti dall'Esarca Bizantino, fino al 697, quando i Tribuni vennero sostituiti da un *Doge*, direttamente dipendente, sebbene solo nominalmente, da Costantinopoli. Ma nell'887 finì anche quella dipendenza, mentre attorno alla figura del Doge una sempre più potente aristocrazia tendeva ad organizzare la vita politica veneziana in senso oligarchico, dapprima togliendo al popolo il potere di elezione del Doge, poi mediante la creazione successiva di organismi di controllo (consigli), che ne limitarono fortemente i poteri.

Anche Venezia contribuì notevolmente alle crociate. Da quaesta città partì nel 1202 quella che avrebbe dovuto essere la quarta crociata. Ma dato che non v'erano sufficienti fondi per pagare il trasporto dei soldati a carico della flotta veneziana, il doge, Enrico Dandolo, decise che questo venisse effettuato con l'impegno da parte dei crociati a conquistare per Venezia la città dalmata di Zara. Proprio in quel frangente di tempo, l'Imperatore bizantino, del quale il Dandolo era acerrimo nemico, era stato deposto con un colpo di mano. Era l'occasione d'oro e così, invece di muovere su Gerusalemme, la spedizione si concluse con la presa ed il saccheggio di Costantinopoli del 12 aprile 1204 e la fondazione dell'Impero Latino d'Oriente, di cui le isole dell'Egeo, la Morea (nota anche come Peloponneso) alcuni porti adriatici ed un intero quartiere della stessa capitale passarono sotto l'amministrazione di Venezia, vera vincitrice della campagna.

I Normanni in Italia

Parlando di Amalfi si era detto che essa fu conquistata dai Normanni. Questi, provenienti dalla Scandinavia, s'erano stanziati nel nord della Francia e in Inghilterra. Poi avevano cercato nuove conquiste nel Mediterraneo e, impossessatisi di alcuni feudi nell'Italia meridionale, vi iniziarono una vera e propria politica di espansione territoriale con Roberto il Guiscardo. Questi, ottenuto l'appoggio di Papa Niccolò II mediante l'accordo di Melfi del 1059, unificò quasi interamente il Sud dell'Italia e, sulla sponda balcanica, conquistò l'Albania, l'Epiro e Corfù. Morì però a Cefalonia nel 1085 e così le sue conquiste balcaniche vennero immediatamente ritolte ai Normanni. Ma già il conte Ruggero, fratello del Guiscardo, era sbarcato in Sicilia nel 1061, approfittando delle lotte tra i locali emiri musulmani, nel 1072 assunse il titolo di *grande conte di Sicilia* e portò a termine la conquista dell'isola nel 1091.

Il figlio, Ruggero II, succedutogli nel 1113, continuò la politica del padre, ultimando le annessioni territoriali nell'Italia meridionale con le città di Napoli e Capua, mentre, nel 1130, ricevette nella cattedrale di Palermo la corona di re di Sicilia, sebbene il territorio del regno non comprendesse la sola isola, bensì tutta l'Italia meridionale ad eccezione di Benevento che rimaneva un'enclave dello Stato Pontificio, in quanto la città costituiva sin dal 1051 un feudo papale.

Con Ruggero II il paese godette di una particolare stabilità politica, accompagnata da una notevole floridezza culturale ed artistica che vide il trionfo dello stile architettonico arabo-normanno, nel quale vennero costruiti la cattedrale di Monreale, presso Palermo, e il duomo di Cefalù, ad est della capitale. Alla base di tutto stava la concezione assolutistica ma illuminata della monarchia, accompagnata da una notevole tolleranza religiosa.

Un esercito ed una flotta ben organizzati permisero a Ruggero II di conquistare Tripoli e Tunisi sulla costa nord-africana, nonché Corfù, e solo l'intervento di Venezia gli impedì di giungere pure a Costantinopoli e di mantenere il possesso di Corfù medesima.

A guastare tutto fu il Figlio di Ruggero II, Guglielmo I, detto *il Malo* (che sta per *il cattivo*). Con la sua politica dissennata egli si attirò l'ostilità dell'Impero, del Papa e di Costantinopoli. Nel 1160 dovette pure abbandonare i possessi balcanici.

Le cose andarono meglio con il figlio, Guglielmo II *il buono*, il quale avviò una politica di riconciliazione sia con il Papa che con l'Impero, cosicché poté volgere tutte le proprie attenzioni ed energie verso l'Est, riconquistando la città albanese di Durazzo.

I Comuni

Il risveglio dell'XI secolo, accompagnato da fenomeni come la lotta per le investiture o le crociate, rese più rapido il declino del feudalesimo. La città cessò di essere una semplice fortezza, ove la gente trovava riparo dalle scorrerie e dalle aggressioni, bensì, luogo di mercato e di scambi. I mercanti e gli artigiani costituivano ormai una solida classe sociale. I cittadini tendevano sempre più a riunirsi in associazioni per difendere i propri interessi. Nasceva così il *comune*. Inizialmente esso fu infatti un'organizzazione tra cittadini di carattere privato. Man mano, però, che il numero dei membri aumentava, esso assunse sempre più l'aspetto di un istituzione pubblica cui faceva capo l'intera cittadinanza, in seno alla quale esistevano diverse classi sociali. Vi era un ceto aristocratico, c'erano poi i semplici cittadini (soprattutto mercanti ed artigiani) e, infine, gli abitanti del contado, ossia delle campagne, i quali non godevano di veri e propri diritti politici. Dalla parola *contado* derivò il termine *contadino*, entrato poi nell'italiano corrente per significare *chi lavora la terra*, sia in proprio che alle dipendenze di altri.

Il governo comunale subì col tempo dei mutamenti strutturali. Quand'esso era ancora un'istituzione privata i suoi membri erano rappresentati in seno all'*arengo* (sorta di parlamento), mentre alcuni così detti *Buoni Uomini* ricoprivano le cariche direttive. Man mano che il Comune assunse forma pubblica l'arengo venne sostituito da due consigli: quello *maggiore* e quello *minore*, mentre i Buoni Uomini lasciarono il posto ad una magistratura presieduta da un certo numero di *Consoli* (generalmente da due a quattro). Questi amministravano la città ed assumevano il comando delle forze armate in tempo di guerra. Per un certo tempo essi amministrarono anche la giustizia, che fu successivamente affidata a speciali magistrati.

Ma l'amministrrazione del Comune rimase essenzialmente nelle mani delle grandi famiglie aristocratiche. Tuttavia, a partire dal secolo XII, lo sviluppo economico diede inizio ad una progressiva ascesa della classe borghese, formata da imprenditori, mercanti ed artigiani, i quali si riunirono progressivamente in *arti* o *corporazioni* (associazioni di categoria). Queste entrarono presto in conflitto con l'aristocrazia, dove pure frequenti erano i contrasti tra le varie famiglie. Ciò rese necessario abbandonare la forma di governo consolare, nella quale i Consoli rappresentavano famiglie aristocratiche, e si decise di assegnare l'incarico di *primo cittadino* del Comune ad un forestiero, perciò al di fuori delle parti, con il titolo di *Podestà*, in carica generalmente per un anno, durante il quale egli svolgeva le funzioni esecutive e quelle giudiziarie.

Il Comune ebbe scarso sviluppo in Francia e in Inghilterra, mentre ebbe notevole successo in Fiandra e, soprattutto, nell'Italia centro-settentrionale, ad iniziare dalla pianura padana, ove, sin dall'XI secolo, aveva imposto il proprio primato il comune di Milano.

La morte di Enrico V, avvenuta nel 1125, poneva fine alla dinastia di Franconia, mentre una lunga serie di lotte interne fece precipitare l'Impero in una profonda crisi politica, della quale i Comuni poterono approfittare per nuove rivendicazioni ed una loro diffusione anche nell'Italia centrale.

Federico Barbarossa e i Comuni italiani

Nel 1152 saliva al trono imperiale Federico I di Svevia, detto *Barbarossa*. La sua politica fu subito improntata sulla ferma volontà di ridare credito alle istituzioni dell'Impero nei confronti sia dell'alta feudalità che del Papa. Questo secondo aspetto della politica del Barbarossa incontrò il consenso della stessa feudalità ecclesiastica tedesca, la quale non aveva accettato di buon grado l'intervento assai frequente della curia romana negli anni precedenti. Vi erano poi le vicende italiane, che l'imperatore intendeva affrontare secondo una linea ben precisa, che andava dalla riaffermazione dell'autorità imperiale sui comuni, privandoli delle rispettive autonomie, all'annessione all'Impero dell'Italia meridionale.

Furono ben sei le campagne militari che il Barbarossa condusse in Italia. La prima di esse avvenne nel 1154 con l'appoggio del papa, Adriano IV, cacciato da Roma ad opera di Arnaldo da Brescia, che ivi aveva instaurato il *comune*, ed anche dei comuni padani minori, i quali non intendevano subire la supremazia di Milano. A Roncaglia, presso Piacenza, venne riunita una *dieta*, e furono proclamati dal sovrano gli antichi diritti imperiali. A Roma le truppe del Barbarossa catturarono Arnaldo da Brescia e lo consegnarono al papa, che lo fece condannare al rogo. Solo la riluttanza dei capi militari obbligò l'imperatore a non proseguire la marcia ed a tornare in Germania.

Ma il riemergere del contrasto tra Papato ed Impero sulla reciproca supremazia sfociò nella seconda dieta di Roncaglia (1158), che riaffermò i diritti della Corona sui comuni. A farli rispettare venne inviato in ciascun comune un rappresentante di essa, anch'egli con il titolo di *podestà*. Ma diversi comuni si opposero e la vicenda si concluse nel marzo del 1162 con l'intervento armato imperiale e la distruzione delle città di Crema e di Milano.

Un simile epilogo allarmò fortemente il Papato, ove, nel frattempo, ad Adriano IV era succedduto Alessandro III, fermo sostenitore del predominio pontificio sull'Impero. A ciò il Barbarossa rispose eleggendo un antipapa, Vittore IV.

Una prima lega di comuni, detta *lega veronese*, formata dalle città di Verona, Vicenza, Padova, Venezia e dal Papa, si formò in occasione della terza discesa del Barbarossa in Italia. Seguì una quarta discesa, che si concluse a Roma con la fuga in esilio di Papa Alessandro III e la sua sostituzione con un nuovo antipapa, Pasquale III. Ma intanto una nuova lega si era formata tra i comuni lombardi di Brescia, Bergamo, Mantova e da Verona e, il primo dicembre del 1167, questa si fuse con la preesistente lega veronese. Nacque così la *lega lombarda*, alla quale altri comuni aderirono, sino a raggiungere il numero di 36. E fu così che la quinta avventura italiana del Barbarossa si concluse con la sconfitta di Legnano, presso Milano, del 29 maggio 1176 ad opera della lega.

Nel novembre dello stesso anno l'imperatore poneva fine allo scisma con la Santa Sede. Seguì, l'anno successivo, una tregua con i comuni della lega e con il re Guglielmo II di Sicilia, loro alleato, in seguito alla quale Papa alessandro III poté rientrare a Roma ritirando la scomunica all'imperatore.

Chiuse definitivamente tutta la vicenda la pace di Costanza (25 giugno 1183), in cui l'imperatore riconosceva i diritti acquisiti dai Comuni, i quali a loro volta riconoscevano l'autorità suprema del sovrano.

Federico I morì nel 1190, mentre si recava in Oriente per prendere parte alla III crociata. Gli successe il giovane figlio, Enrico VI, il quale, avendo sposato Costanza d'Altavilla, zia ed erede di Guglielmo II di Sicilia, era divenuto anche re di Sicilia, incoronato a Palermo il giorno di Natale (25 dicembre) del 1194. Morto prematuramente nel 1197, egli lasciò erede della dupplice corona il figlio di appena due anni, Federico II.

Innocenzo III e il suo pontificato

Nel 1198, iniziava il papato di Innocenzo III.

Dopo una radicale riorganizzazione dello stato pontificio, la riconquista dell'Esarcato e della Pentapoli sulla sponda adriatica e di Spoleto nell'interno, egli promosse il ritorno al mondo cristiano delle terre passate nell'orbita musulmana: indisse la quarta crociata ed incoraggiò la riconquista della Spagna, ove la vittoria riportata dai Cristiani nel 1212 a Las Navas de Tolosa ridusse i possedimenti arabi nella penisola iberica al solo regno di Granada.

Innocenzo III fu un campione della teocrazia e ne affermò i principi in occasione del Concilio lateranense del 1215. Tutti i sovrani d'Europa dovevano considerarsi vassalli del Pontefice. Inoltre egli combatté tenacemente le *eresie* (deviazioni dall'ortodossia religiosa) scaturite dalla degenerazione sul piano dottrinale di alcuni movimenti di riforma della Chiesa. La più importante di queste correnti religiose fu quella Valdese, destinata nei secoli a non scomparire e a conservare la propria roccaforte italiana in val di Pellice, nel futuro Piemonte. Nel 1209 fu intrapresa una crociata contro gli Albigesi, un altro movimento riformatore fiorente in Provenza e nelle regioni vicine, appoggiato da Raimondo VI conte di Tolosa e marchese di Provenza. La campagna fu un susseguirsi di efferati saccheggi da parte di truppe provenienti dal Nord e guidate da un signore dell'Ile-de-France, Simon de Monfort, il quale, nel 1213, acquistò i domini dello sconfitto Raimondo. Ma, alla morte del Monfort, nel 1218, ripresero le ostilità tra la ripristinata dinastia di Tolosa e la corona di Francia, alla quale i domini tolosani passarono definitivamente nel 1248, in seguito alla scomparsa dell'ultimo conte di Tolosa, Raimondo VII.

* * *

Riformatori, ma ben intenti a non uscire dall'ortodossia cattolica furono due importanti ordini religiosi sorti nel periodo innocenziano: i *domenicani*, o *frati predicatori*, ed i *francescani*, o *frati minori*. I primi ebbero per fondatore Domenico di Guzman e, come dice la loro stessa definizione, erano essenzialmente dediti alla predicazione, mentre i secondi, fondati da Francesco d'Assisi, inaugurarono un apostolato, della povertà, e della semplicità, destinato a costituire il reale filo conduttore della religiosità in Italia.

Federico II e la sua epoca

Con l'appoggio dello stesso Innocenzo III, Federico II, una volta maggiorenne, riuscì a cingere la corona imperiale, dopo la vittoria sull'altro pretendente, Ottone di Brunswick. In compenso dell'appoggio ottenuto dalla Santa Sede, il nuovo sovrano dovette impegnarsi verso il pontefice a non mantenere unita alla corona imperiale quella di Sicilia, cedendola al figlio Enrico, ancora minorenne, che fu effettivamente incoronato re di Sicilia, ma fu soltanto una formalità. Inoltre l'imperatore avrebbe dovuto guidare una nuova crociata per liberare un'altra volta Gerusalemme.

Morto Innocenzo III nel 1216, le cose andarono diversamente, giacché ben diversi erano i piani del monarca. Mandò il figlio Enrico, ancora bambino, in Germania, facendogli assumere il titolo di *duca di Svevia e di Borgogna*, poi quello di *Re dei Romani*, designandolo così suo successore al trono imperiale. Con quest'ultimo atto era chiara la volonta di Federico II di riunire l'Impero e la Sicilia sotto un unico scettro. Ora, sebbene non formalmente, di fatto le due corone erano già unite, poiché Federico era imperatore a pieno titolo, ma era anche reggente del Regno di Sicilia, essendo Enrico ancora minorenne; tant'è vero che non la Germania, ma la Sicilia fu il centro della vita politica del sovrano, egli stesso nato in Italia, a Jesi, presso Ancona. Palermo fu infatti la sua residenza e qui egli pose le basi di quel *dispotismo illuminato*, fondato su un forte accentramento del potere, accompagnato però da diverse riforme, e che fece della Sicilia una realtà politico-istituzionale precorritrice dello stato moderno. Anche la cultura fu testimone della buona situazione politica del Regno: nasceva infatti la prima vera e propria corrente letteraria italiana, nota come *scuola siciliana*. Vi fecero parte lo stesso Federico e il suo cancelliere, Pier delle Vigne.

Ma la politica di Federico andò senza ostacoli fino a che durò il pontificato di Onorio III. Morto quest'ultimo nel 1227, gli successe Gregorio IX, dalla personalità ben diversa. Di fronte alle reticenze del monarca ad indire la crociata, questi lo scomunicò. Nel giugno del 1228 l'imperatore partì da Brindisi per l'Oriente, ma, con un trattato diplomatico con il sultano d'Egitto, egli entro l'anno seguente in Gerusalemme con il titolo di *re*, giacché, qualche tempo prima, egli aveva sposato Isabella di Brienne, figlia del re (solo nominalmente) di Gerusalemme.

Tornato in Italia Federico dovette respingere le truppe pontifice che avevano invaso, durante la sua assenza, parte dei suoi territori. La campagna si concluse con il trattato di San Germano del 23 luglio 1230. Il papa restituì i territori occupati e ritirò la scomunica all'imperatore.

Ma ciò non pose fine alla lotta tra l'Impero e i Comuni. Dopo un momento favorevole al primo, le sorti piegarono definitivamente a favore dei secondi, i quali sconfissero nel 1249 a Fossalta le truppe imperiali, mentre l'anno dopo, il 13 dicembre, Moriva lo stesso Federico, precedentemente colpito da una nuova scomunica.

Gli successe il figlio Corrado IV che, però, morì nel 1254 e sul trono di Sicilia salì il fratello Manfredi. Con notevole successo egli riuscì a ristabilire le sorti del Paese, riprendendo anche la politica espansionista nel Mediterraneo orientale e di influenza nell'Italia settentrionale e centrale. Ma ciò incontrò l'opposizione del Papa, che offrì la corona di Sicilia a Carlo d'Angiò, fratello di Luigi IX di Francia.

Costui fu incoronato re di Sicilia a Roma da Papa Clemente IV il 28 giugno 1265, ma dovette contrastare l'opposizione di Manfredi, che fu sconfitto a Benevento, morendo egli stesso in battaglia, l'anno successivo. Un ultimo tentativo fu quello del quindicenne Corradino di Svevia, che però venne sconfitto con il proprio esercito a Tagliacozzo nel 1268 e, fatto prigioniero, dagli Angioini, fu condannato a morte e decapitato a Napoli.

Verso i primi stati nazionali. La crisi del Medioevo

La morte di Federico II aveva fatto emergere in tutta la sua gravità la crisi dell'Impero.

In Germania erano nate nuove realtà territoriali. Le città comunali si erano riunite in varie leghe per difendere i propri privilegi. Colonia (Köln), Magonza (Mainz) e Treviri (Trier) avevano formato la Lega Renana, mentre nel nord del Paese Amburgo e Lubecca formavano quella anseatica. Al sud era nato lo stato della Baviera con la dinastia dei Wittelsbach e il margraviato d'Austria, sotto la dinastia dei Babenberg, eretto poi a ducato con il subentrare degli Asburgo.

Uno degli aspetti più evidenti fu la candidatura di nobili stranieri alla corona imperiale, per mancanza di accordo tra i principi tedeschi sul nuovo successore. Vi fu anche un tentativo del re di Francia, Filippo il Bello di far eleggere alla dignità imperiale il proprio fratello, Carlo di Valois. Ma nel 1273 fu eletto finalmente imperatore Rodolfo d'Asburgo.

Cosciente della precaria situazione politica, egli giudicò inopportuno coinvolgere il proprio esercito in una nuova crociata in oriente, voluta dal papa; inoltre preferì non occuparsi eccessivamente delle vicende italiane per meglio curare quelle tedesche, dando così nuova credibilità alla Corona. Ma era solo una parentesi, giacché non si trattava della crisi politica di un singolo paese, ma di un periodo storico che si stava chiudendo. la visione teocratica del papato e la concezione universalistica dell'Impero stavano ormai per lasciare il posto alle nascenti politiche nazionali.

Il primo caso era quello della Francia, i cui interessi in Italia erano rappresentati dalle rivendicazioni angioine nella penisola, che condizionavano fortemente la vita del Papato. Disgustato da quella situazione Papa Celestino V rinunciò alla propria carica nel 1294, dopo soli cinque mesi di pontificato. Gli succedette Bonifacio VIII, membro dell'influente famiglia romana dei Caetani. Egli si sbarazzò immediatamente della potente famiglia avversaria dei Colonna espellendo i due prelati che provenivano da essa e facevano parte del collegio cardinalizio. Quindi, sulla linea di Innocenzo III, Bonifacio VIII condusse una politica fortemente basata sul diritto della Chiesa romana di esercitare la propria potestà sulle Corone. Appoggiò le rivendicazioni angioine sulla Sicilia e mandò a Firenze, come proprio delegato, Carlo di Valois, per redimere la sanguinosa lotta tra *guelfi bianchi*, di estrazione popolare, e *guelfi neri*, di estrazione aristocratica. Tra i *bianchi* v'era anche il poeta Dante Alighieri, che, con la sua principale opera, la *Divina Commedia*, divenne il *Sommo Poeta*, simbolo per eccellenza della letteratura italiana.

Prevalsero i *neri*, segretamente appoggiati dallo stesso pontefice; ma vennero cacciati di lì a poco da una violenta rivolta popolare, che costò la vita al loro capo, Corso Donati, e riportò al potere i *bianchi*.

Mentre ciò accadeva a Firenze, in Francia una vertenza tra Chiesa e fisco e poi l'arresto di un vescovo avevano innescato una feroce diatriba tra il re, Filippo il Bello, e il papa, che ebbe il suo epilogo in una spedizione militare francese, condotta da Guglielmo di Nogaret, e che si concluse ad Anagni, presso Roma, ove lo stesso Bonifacio VIII cadde prigioniero. Due giorni dopo una rivolta della popolazione gli ridiede la libertà, ma l'anziano pontefice, ultimo campione della teocrazia medievale, non superò il trauma di quell'esperienza e morì l'11 ottobre del 1303.

Da parte imperiale un ultimo sussulto di vitalità venne con Enrico VII, il quale credeva a ncora ai vecchi ideali che stavano alla base del suo mandato, perciò decise di occuparsi dell'Italia, dove molti speravano che una maggior presenza della Corona ponesse definitivamente termine alle continue lotte tra guelfi e ghibellini. Quando però l'imperatore dimostrò di voler esercitare concretamente le proprie funzioni di monarca, le ostilità si riaccesero, da quella del nuovo re di Napoli, Roberto d'Angiò, a quella di Firenze, che subì dall'esercito imperiale un lungo ma inutile assedio, giacché, alla fine, gli uomini di Enrico VII dovettero desistere dal continuare le operazioni e, il 21 agosto del 1313, lo stesso imperatore moriva di malaria a Buonconvento, presso Siena, chiudendo, ad un decennio dalla morte dell'ultimo portavoce della politica teocratica, anche l'epoca dell'Impero quale monarchia universale.

Dalle Signorie ai Principati

Anche Carlo d'Angiò condusse una politica di espansione in Italia centrale e settentrionale e nel mediterraneo. La capitale del suo regno era stata trasferita da Palermo a Napoli. Ma nel 1282 una violenta ribellione col nome di *vespri siciliani* si concluse con la cacciata degli Angioini dalla Sicilia. Le Repubbliche Marinare continuavano la loro ascesa politica e, ben presto, iniziarono i primi dissidi tra Genova e Venezia. Nel 1261 l'Impero Latino d'Oriente, appoggiato da Venezia, cadde a favore dell'Impero Bizantino, reinstaurato con l'appoggio genovese. Nel 1284 Genova riportò, con la battaglia della Meloria, presso Livorno, la vittoria definitiva su Pisa, che cessò ben presto di esistere come Repubblica Marinara, mentre nel 1294 anche Venezia subì una sconfitta da parte della flotta genovese alle Curzolari.

Ma il protrarsi delle lotte tra le fazioni dei *guelfi*, sostenitori della politica papale e dei *ghibellini*, favorevoli all'Impero, portò soprattutto alla crisi dei Comuni. Gli antichi organi comunali, come le corporazioni, persero la loro importanza, mentre prevalse la tendenza di una singola persona ad affermarsi introducendosi negli ambienti del potere per poi impossessarsene. Si passò così ad una nuova forma di governo: la *Signoria*.

Prima in Italia fu quella di Milano, instaurata nel 1248 ad opera della famiglia Della Torre. Nacquero successivamente le signorie di Mantova, Ferrara, Ravenna.

La situazione dell'Italia al termine delle lunghe lotte fra Signorie

L'Italia del XIV secolo vide il rapido sviluppo, al nord e poi al centro, delle Signorie seguito in breve tempo dalla loro trasformazione in *Principati*, così definiti perché al *signore* subentrava una vera e propria dinastia, la quale poneva a capo dello stato un proprio membro, al quale la carica veniva conferita con una formale investitura papale o imperiale. Scomparvero gli antichi organi di rappresentanza cittadini e vennero sostituiti con una classe di funzionari legati alla persona del "*principe*", sebbene si trattò per lo più di un *duca* o di un *marchese*. Territorialmente i principati assunsero sempre più l'estensione di intere regioni, grazie al progressivo assorbimento delle città minori da parte di quelle maggiori. A cavallo delle Alpi occidendali si espandeva una contea - in seguito trasformata in ducato - con a capo la dinastia di Savoia; Milano fu ben presto capitale di un ducato con a capo i Visconti e fu protagonista di numerose campagne per l'espansione territoriale, che portarono, per un certo periodo all'annessione della stessa città di Genova. Quest'ultima infatti stava attraversando una violenta crisi causata soprattutto da continui scontri con Venezia per garantirsi il monopolio del commercio con i Tartari.

Anche Firenze seguì l'evoluzione di Milano e del Piemonte, inglobando ormai nel proprio territorio buona parte della Toscana, con l'acquisizione dello sbocco sul mare, grazie all'annessione di Pisa e della nascente Livorno, mentre al potere s'insediò la famiglia dei Medici. Ma a Firenze furono più che mai evidenti le trasformazioni sociali che accompagnavano la crisi delle Signorie. Mentre in epoca comunale e signorile fu la città ad avere il ruolo dominante, ora si assistette ad una riscossa delle campagne, mentre si moltiplicarono i lavoratori non autonomi, ma salariati, dunque dipendenti: primo importante esempio di quella classe, definita qualche secolo più tardi come *classe proletaria* o *proletariato*. Segno di questo cambiamento fu, sempre a Firenze, la rivolta detta dei *ciompi* del 1378, ad opera dei ceti più umili, che riuscirono, seppure per breve tempo, a far ottenere ai propri rappresentanti un terzo dei posti al Comune nonché la carica di *gonfaloniere* al loro portavoce Michele di Lando.

Lo scisma d'Occidente e le prime guerre di successione

La trasformazione politica e territoriale che avvenne nell'Italia settentrionale non era immaginabile in quella centro-meridionale, per l'esistenza in questa parte della penisola di due forti monarchie, quali erano lo Stato Pontificio e il Regno di Napoli.

A Roma, tuttavia, Cola di Rienzo fondò nel 1347 una repubblica antiaristocratica, approfittando anche dell'assenza del Papato che, già nel 1305, era stato trasferito, su ingerenza francese, da Roma ad Avignone. Tuttavia la nuova repubblica ebbe vita breve, giacché nel 1357 venne reinstaurato l'ordine pontificio dal cardinale Egidio d'Albornoz, mentre Cola di Rienzo moriva trucidato nel tentativo di lasciare clandestinamente Roma. Vent'anni dopo, nel 1377, grazie alle pressioni e alle sollecitazioni che da più parti invocavano il ritorno del Papato all'antica sede, si concluse il periodo di assenza del Pontefice da Roma, noto come *cattività avignonese*.

Ma l'elezione nel 1378 di Urbano VI su pressione dei cardinali italiani, suscitò la reazione dei cardinali ostili che, nel settembre dello stesso anno, elessero un antipapa col nome di Clemente VII, dando inizio allo *grande scisma d'Occidente*, che si concluse nel 1417 con il Concilio di Costanza e la proclamazione della teoria *conciliare*, così chiamata perché affermava la subordinazione del Pontefice a quella del Concilio, quale organo supremo di decisione. Ma intanto, durante il periodo della crisi ecclesiastica vi furono due papati distinti: quello di Urbano VI con seded a Roma e quello dell'antipapa Clemente VII con sede ad Avignone.

Ora, di fronte ad una chiesa tanto divisa e corrotta dagli interessi della più bassa politica, furono numerose le voci che invocarono una sua riforma in senso più spirituale e apostolico. In Inghilterra si ebbe il movimento dei *lollardi*, fondato da John Wycliffe, professore all'università di Oxford. Seguace ed ammiratore di Wycliffe fu il boemo Giovanni Huss, portavoce non solo di una riforma della Chiesa in senso puritano, ma anche in senso nazionale, ma che per le sue posizioni considerate eretiche fu condannato al rogo nel 1415. Più estremisti dello stesso Huss furono, sempre in Boemia, i *taboriti*, i quali, oltre ad auspicare un'assoluta purificazione della Chiesa, eliminarono dalla loro dottrina il culto della Vergine e dei Santi.

Nel 1431, a 14 anni dalla fine del grande scisma, Papa Eugenio IV indisse un concilio a Basilea. Sorse immediatamente la controversia sul potere dei delegati pontifici di scioglimento dell'istituzione conciliare in caso di necessità, controversia che sfociò nel *piccolo scisma*, che ebbe la sua manifestazione più evidente nel 1437, anno in cui i lavori del concilio furono trasferiti da Basilea a Ferrara, incontrando l'opposizione di una minoranza che rimase a Basilea e, negli ultimi tempi, si trasferì a Losanna. Fu eletto un antipapa, Felice V, nella persona del conte Amedeo VIII di Savoia, da tempo ritiratosi in un monastero. Ma in mancanza di appoggio concreto da parte delle varie corone che avevano supportato in precedenza il grande scisma, egli preferì abdicare per ritornare alla vita monastica. Seguì lo scioglimento spontaneo del gruppo conciliare dissidente, ponendo fine al piccolo scisma.

* * *

Al sud, dopo la ribellione agli Angioini, la Sicilia era passata agli Aragonesi. Tra questa dinastia e gli Angioini scoppiò, in séguito, una violenta guerra per la successione al trono di Napoli. Qui infatti Giovanna II, priva di discendenti, aveva adottato in un primo tempo come proprio erede al trono Alfonso d'Aragona, che, dal 1416 era divenuto re d'Aragona, ma anche della Sardegna e, come abbiamo visto poc'anzi, della Sicilia. Qualche tempo dopo la stessa regina trasferì l'atto di adozione a favore di Luigi III d'Angiò, morto il quale, i benefici dell'atto sarebbero spettati al figlio Renato.

Lo scontro fu inevitabile e sfociò in una vera guerra di successione che si concluse nel 1442 con l'insediamento sul trono napoletano della dinastia aragonese.

Ma la guerra di successione napoletana ebbe i suoi effetti anche fuori dal regno, giacché, per l'uno o per l'altro contendente, si schierarono di volta in volta i maggiori stati italiani, i quali, anche dopo la conclusione del contenzioso dinastico, si logorarono vicendevolmente in una serie di lotte egemoniche, che ebbero fine nel 1454 con la pace di Lodi.

Venezia avanzava notevolmente verso occidente fissando il proprio confine lungo il corso centrale del fiume Adda e includendo nel proprio territorio le città di Brescia e di Bergamo. A Milano la dignità ducale era passata dai Visconti agli Sforza, ma il dato più importante era il trionfo della politica di equilibrio in Italia, caldeggiata soprattutto da

Firenze la quale, con la dinastia dei Medici, si pose quale ago della bilancia nella nuova situazione italiana.

Un tentativo di rompere questo equilibrio venne nel 1478 dallo Stato Pontificio, ove, nel 1471, era stato eletto pontefice Sisto IV, della famiglia Della Rovere.

Il 16 giugno di quell'anno veniva assassinato nella cattedrale di Firenze, Giuliano de' Medici, erede, con il fratello Lorenzo, della signoria. La congiura era stata ordita dalle famiglie aristocratiche contrarie alla permanenza in carica dei Medici. Appoggiava i ribelli, tra gli altri il cardinale Salviati, arcivescovo di Pisa. Ma la reazione popolare al fatto fu violenta e vi furono numerosi impiccati, tra cui lo stesso cardinale Salviati. Sisto IV reagì dichiarando guerra a Firenze, sicuro dell'appoggio di Siena e del re di Napoli. Quest'ultimo però, convinto dallo stesso Lorenzo de' Medici, divenuto intanto signore di Firenze, a non stare al gioco pontificio, si ritirò dall'alleanza e costrinse Sisto IV alla pace e al mantenimento della situazione precedente all'entrata in guerra.

Con un colpo di mano Venezia riuscì a strappare il Polesine con la città di Rovigo al debole marchesato di Ferrara, mentre il regno di Napoli fu teatro, nel 1485, della violenta congiura dei *baroni*, che rivendicavano una serie di riforme dal Sovrano. Approfittò della situazione il successore di Sisto IV, Innocenzo VIII per intervenire militarmente nella speranza di qualche annessione. Ma, giunte a L'Aquila, le sue truppe dovettero ritirarsi per l'intervento diplomatico del duca di Milano e di Lorenzo de' Medici (noto, per i suoi meriti, come Lorenzo *il Magnifico*), per cui si poté ripristinare l'equilibrio sancito con la pace di Lodi.

Nuove tensioni si erano nel frattempo create tra il ducato di Milano e il Regno di Napoli, per l'improvvisa presa del potere in Milano da parte di Ludovico Sforza, detto *il Moro*, a danno del titolare del ducato, il nipote Gian Galeazzo II, sposo di Isabella d'Aragona, nipote del re di Napoli, il quale sperava, attraverso quel matrimonio, di affacciarsi sulla scena padana.

A Roma, nel 1492, diveniva papa lo spagnolo Rodrigo Borgia, col nome di Alessandro VI. Personaggio impopolare per la sua corruzione, le sue spudorate ambizioni espansionistiche ed il suo *nepotismo* (abuso del proprio mandato favorendo parenti e familiari con cariche e privilegi), egli suscitò molte perplessità sulla legittimità della propria elezione e fu osteggiato dallo stesso collegio cardinalizio.

La morte in quello stesso anno di Lorenzo il Magnifico privò l'Italia di un importante fattore di equilibrio politico-militare, preparando la penisola alle invasioni straniere.

Dal Medioevo all'Età Moderna. Il Rinascimento

Il passaggio dal regime feudale alla formazione di stati nazionali o regionali territorialmente compatti e con una solida organizzazione burocratica centralista, segnò per l'Europa la fine del Medioevo e l'inizio dell'*Età Moderna*.

Il progresso tecnico aveva arricchito il continente di nuove e importanti scoperte e invenzioni. L'introduzione della *polvere da sparo* (o *polvere pirica*) permise l'impiego delle armi da fuoco e fu motivo di riorganizzazione generale degli apparati militari. Un notevole beneficio all'economia e alla finanza venne dall'introduzione della *cambiale*, che facilitò notevolmente la circolazione del denaro. Ma furono le grandi scoperte geografiche a portare in Europa ingenti ricchezze, frutto della *febbre dell'oro*, che attrasse migliaia di avventurieri e squattrinati verso nuove terre, alla ricerca di mitici tesori e di guadagni facili.

Il 12 ottobre del 1492 Cristoforo Colombo, dopo aver attraversato l'oceano Atlantico, sbarcava in un'isola, convinto di aver raggiunto il Giappone da est. Seguirono immediatamente altre spedizioni oltre Atlantico condotte dal navigatore genovese al servizio del Re di Spagna; e solo qualche anno più tardi e con l'aiuto di altri navigatori, tra cui un altro italiano, Amerigo Vespucci, lo stesso Colombo si dovette rendere conto che aveva messo piede su una terra sino ad allora ignorata dagli Europei, e che, proprio in onore ad *Amerigo* Vespucci, fu chiamata *America*.

Nuove vie marittime si aprirono ai commerci che cessarono di avere il proprio centro nel Mediterraneo, dando così un duro colpo all'economia di Genova e di Venezia. Quest'ultima, poi, si vedeva ormai minacciata da vicino dai Turchi ottomani che, nel 1453 erano entrati a Costantinopoli, ponendo fine all'esistenza politica dell'Impero Bizantino, diretta continuazione dell'Impero Romano d'Oriente: e ciò quasi un millennio dopo la caduta di quello d'Occidente ad opera di Odoacre.

Ma non si può parlare dell'epoca nuova se non si menziona l'introduzione massiccia della stampa grazie al tedesco Giovanni Gutenberg, che perfezionò i *caratteri mobili*, così definiti poiché ciascuno di essi conteneva una lettera sotto la propria base e poteva essere spostato ed appoggiato in qualunque punto della pagina a seconda delle parole che bisognava comporre.

Analoghi esperimenti erano stati precedentemente compiuti in Italia e persino nella lontana Corea.

L'invenzione della stampa permise la maggiore diffusione dei libri, i quali cessarono di essere prodotti unicamente nei monasteri o nelle abbazie, ma uscirono da vere e proprie industrie, che si svilupparono principalmente in Germania, nei Paesi Bassi, in Francia e in Italia, ove i principali centri furono a Venezia ed a Firenze.

Con la diffusione della stampa ebbe maggiore diffusione anche la cultura. In Italia ciò diede vita, nel XV secolo, all'importante fenomeno filosofico-letterario dell'*umanesimo*. All'idea medievale di una *Fortuna* (intesa nel senso metafisico), che condizionava in prima persona le vicende umane, si contrappose un'ampia rivalutazione dei valori individuali e si pose l'uomo al centro ed artefice del proprio destino.

Fiorirono gli studi filologici, legati al desiderio di conoscere in profondità i testi classici greci e latini. Studiosi del calibro di Marsilio Ficino e di Pico della Mirandola riscoprivano in una luce nuova la filosofia di Aristotele e di Platone, mentre poeti come Angelo Poliziano permeavano i propri scritti di temi classici.

Il pensiero politico ebbe in quest'epoca il suo maggiore rappresentante in Nicolò Machiavelli, che nel suo principale scritto, *Il Principe*, presenta con obiettività e realismo il prototipo di capo di stato che il suo tempo esigeva. Uomo pragmatico, deciso a tutto, pur di mantenere salda l'istituzione di cui egli è al vertice, lontano da eccessivi scrupoli, il principe machiavelliano punta direttamente allo scopo da raggiungere prima di interrogarsi sui mezzi per raggiungerlo. Per Machiavelli, infatti, il fine giustifica i mezzi.

Sul piano più strettamente artistico il pensiero umanistico diede vita, nel XVI secolo, al Rinascimento, periodo che permise di creare capolavori che impressero all'Italia aspetti peculiari della sua identità di nazione, grazie al genio di pittori come Raffaello Sanzio e Piero della Francesca, a scultori come Donatello e Michelangelo Buonarroti, nonché ad un personaggio dalle molteplici espressioni artistico-intellettuali quale fu Leonardo da Vinci.

L'ETÀ MODERNA

L'occupazione franco-spagnola dell'Italia

Come già l'Evo Antico, anche il Medioevo si era concluso con una profonda crisi soprattutto morale. Lo splendore del Rinascimento, che dava inizio all'Età Moderna, e portava in tutto il continente europeo l'arte e la cultura italiana, nascondeva in realtà un susseguirsi di scandali e delitti, frutto della negazione violenta degli antichi schemi morali che avevano retto per secoli la civiltà medioevale.

Vi era poi una crisi politica. Infatti, come già si è visto, l'Europa occidentale era ormai sede di potenti monarchie nazionali, come la Francia, la Spagna, Il Portogallo e l'Inghilterra, mentre in Italia ci si limitava a cercare ed a mantenere l'equilibrio tra i cinque principali stati a portata regionale che – ricordiamolo – erano: il Ducato di Milano, la Repubblica di Venezia, la Repubblica di Firenze, lo Stato Pontificio, il Regno di Napoli.

Le cose non andavano meglio sul piano militare. Gli stati italiani disponevano per lo più di milizie mercenarie, non necessariamente di origine locale e perciò di discutibile lealta verso lo stato che esse erano impegnate a servire ed a difendere. Solo Venezia possedeva un esercito e soprattutto una marina efficiente, continuamente impegnata a difendere le proprie rotte marittime dalle incursioni dei pirati e dall'espansionismo ottomano, che aveva reso sempre più difficili i collegamenticon le Indie lungo le vecchie vie di comunicazione terrestri e aveva compromesso gravemente l'economia italiana, basata per lo più sulla lavorazione dei prodotti che provenivano dall'Oriente: per esempio la seta.

Questa situazione fu il presupposto per una serie di invasioni dell'Italia da parte delle potenze occidentali.

Dal settembre 1494 al luglio 1495 ebbe luogo la spedizione francese di Carlo VIII, il quale, su pretesto di alcune rivendicazioni francesi in materia di successione, occupò la penisola sino a Napoli. Ma ben presto egli incontrò l'opposizione di una lega sorta tra Venezia, Milano, il Papa, la Spagna e l'Impero, e, il 6 luglio 1495, fu sconfitto a Fornovo, presso Parma, e dovette ritirarsi.

A Firenze l'arrivo di Carlo VIII fu la scusa per deporre la signoria medicea, rappresentata dall'incapace Piero de' Medici, e reinstaurare la repubblica. Figura emergente sulla nuova scena politica fiorentina fu Gerolamo Savonarola, un frate domenicano che, per le sue spiccate idee di riforma della chiesa in senso puritano contro l'eccessiva mondanizzazione di essa, fu dichiarato eretico, scomunicato e condannato al rogo nel 1498. La morte del Savonarola permise una ripresa della corrente più conservatrice, la quale diede alla repubblica fiorentina un assetto nettamente oligarchico.

A ritentare l'avventura francese in Italia fu il successore di Carlo VIII, Luigi XII, che, nel 1500, conquistò il ducato di Milano grazie anche all'appoggio di alcuni cantoni elvetici ai quali i Francesi avevano promesso compensi territoriali a sud delle Alpi, ove gli Svizzeri avevano precedentemente iniziato una lenta penetrazione.

In quello stesso anno era stato segretamente stipulato tra Francia e Spagna il trattato di Granada per una spartizione del Regno di Napoli. La parte più a Nord, con la stessa Napoli, sarebbe toccata alla Francia, il resto alla Spagna. Ma al momento di rendere operativa tale spartizione i due paesi entrarono in contrasto e, dallo scontro militare, uscì vittoriosa la Spagna, che, in seguito all'armistizio di Lione del 1504, potè annettersi l'intero territorio del regno, ad eccezione di alcuni porti della Puglia, che, per una serie di accordi passarono a Venezia.

La presenza in Italia di domini francesi e spagnoli condizionava notevolmente la vita politica nella penisola.

L'ascesa nel 1503 al trono pontificio di Giulio II orientò decisamente gli eventi in senso filospagnolo. Fu creata nel 1511 la *Lega Santa*, che, nel 1513, sconfisse i Francesi a Ravenna, togliendo loro Milano, ove fu ripristinata la signoria degli Sforza sotto protettorato dei confederati Svizzeri i quali si erano uniti alla Lega antifrancese in seguito alle promesse non mantenute loro da Parigi. Ma con Francesco I, succeduto nel 1515 a Luigi XII, i Francesi ebbero la rivincita a Melegnano, con un'aspra battaglia che si svolge tra il 13 e il 14 settembre di quello stesso anno. Essi riconquistarono Milano ma permisero tuttavia agli Svizzeri di mantenere il possesso di quello che diverrà in gran parte il futuro Canton Ticino.

* * *

Il 28 giugno 1519 venne incoronato imperatore Carlo V d'Asburgo, il quale, per una serie di combinazioni dinastiche, era divenuto pure re di Spagna.

Il fatto suscitò le preoccupazioni della Francia, stretta tra la Spagna a sud-ovest ed i possessi imperiali a est-nord-est. Fu questa la ragione principale della lunga serie di contrasti militari che si ebbero tra il rafforzato Impero e la Francia di Francesco I e poi di Enrico II. La riforma protestante, iniziata nel 1517 da Martin Lutero in Germania minacciava dall'interno la stabilità politica dell'istituto imperiale. Infatti nel 1552 Enrico II di Francia si alleò con i protestanti tedeschi ponendo lo stesso Carlo V dinanzi all'im-

L'Italia durante la dominazione spagnola.

possibilità definitiva di realizzare il sogno di un grande impero intercontinentale, dal momento che la corona di Spagna aveva conferito al sovrano asburgico non solo la Spagna propriamente detta, ma anche le colonie nelle Americhe e i domini in Italia.

Logorato dalle fatiche, Carlo V abdicò nel 1556, lasciando al figlio, Filippo II, la Spagna, completa dei Paesi Bassi, dei possessi italiani e oltre Atlantico, mentre al fratello, Ferdinando I, andò la corona imperiale, sovrana sui territori imperiali dell'europa centrale.

La guerra franco-imperiale si concluse definitivamente nel 1559 con la pace di Cateau-Cambrésis, che fruttò alla Francia l'annessione di Calais, ultimo possesso continentale inglese, nonché i tre vescovati renani di Toul, Metz e Verdun.

Quanto all'Italia le vicende della lunga guerra ebbero esiti alterni, ma alla fine prevalsero le armi della Spagna, la quale riconquistò Milano, prese possesso del così detto Stato dei Presidi sulla costa toscana e confermò il possesso dell'Italia meridionale e della Sardegna. A Firenze erano intanto ritornati i Medici mentre riacquistava l'indipendenza il Ducato di Savoia dalla Francia, grazie alla vittoria del 1557 ad opera del duca Emanuele Filiberto contro la Francia stessa a San Quintino, nel Nord del paese.

Il predominio spagnolo in Italia. Il Concilio di Trento e la Riforma Cattolica

La pace di Cateau-Cambrésis aveva assegnato alla diretta sovranità spagnola una buona metà del territorio italiano.

Sul piano amministrativo la corona di Spagna era rappresentata in Sardegna, come pure in Sicilia e a Napoli, da un *viceré*, mentre a Milano l'incarico fu affidato ad un governatore.

In Sardegna e nel sud della penisola il viceré era affiancato da un Parlamento, che in Sicilia esisteva sin dall'epoca normanna; a Milano il Governatore era controbilanciato dal Senato, creato al tempo degli Sforza. A Madrid Filippo II creò il Consiglio d'Italia, formato da ministri spagnoli, due napoletani, un membro siciliano e uno milanese. Ma tale organismo non fu capace di assolvere al proprio compito e si limitò a comprimere fiscalmente i possessi spagnoli in Italia, provocandovi un grave regresso economico.

La miseria e il terrore dell'*Inquisizione* (il tribunale che giudicava eretici) ridussero l'Italia spagnola a perdere anche il proprio ruolo culturale e a rinchiudersi in un puro accademismo, isolando la propria storia da quella degli altri paesi europei.

Più o meno vincolati alla politica spagnola erano, in Italia, la Repubblica di Genova, i cui banchieri erano i maggiori finanziatori nonché creditori della corona madrilena; il granducato di Toscana, il ducato di Parma e Piacenza, sotto la casata dei Farnese, quello di Modena e Reggio Emilia, governato dalla casa d'Este e quello di Ferrara, ceduto in seguito dagli Estensi allo Stato Pontificio. Quest'ultimo, se da un lato reagì con forza alla riforma protestante, dall'altro è anche vero che in Germania, con la scomunica di Martin Lutero, il fenomeno protestante rappresentò il violento scossone che costrinse gli uomini di Chiesa a meditare sulla necessità di una revisione intima e profonda dei costumi, fortemente corrotti dalla progressiva mondanizzazione dell'istituto ecclesiastico.

Riemergeva il bisogno di ritornare alle origini e di risistemare sia sul piano dottrinale che disciplinare la chiesa cattolica.

Da un lato si trattò di *Controriforma*, cioè di una reazione alla riforma protestante: venne creato il tribunale dell'*Inquisizione* per combattere le eresie e fu istituito l'*Indice dei libri proibiti*, perché contrari alla morale. Dall'altro lato si parlò di *Riforma cattolica*, ossia di autocritica della Chiesa, volta a ricondurre quest'ultima agli antichi princìpi. Nacquero nuovi ordini religiosi: molto importanti quello dei Gesuiti, fondato da Ignazio da Loyola, i quali operarono in particolare nel campo dell'istruzione e furono, assieme ai Francescani, tra i maggiori propagatori del cristianesimo nelle colonie centro- e sud-americane.

Tale nuova linea della chiesa romana fu espressa nel Concilio di Trento, apertosi nel 1545 e durato, malgrado le numerose interruzioni, sino al 1564. Durante il suo svolgimento emersero le voci di cardinali come il Contarini e il Sadoleto, eredi della filosofia umanista e della sua applicazione al cristianesimo, i quali auspicarono una riconciliazione con i protestanti tedeschi, resa impossibile dall'eccessiva intransigenza di alcuni papi del tempo.

All'insegna di questi avvenimenti si operò anche una radicale restaurazione politica nello Stato Pontificio, il quale ingrandì il proprio territorio assorbendo i ducati di Ferrara, di Urbino e il piccolo ducato di Castro e Ronciglione, a nord di Roma. Nel 1582 venne introdotto da Papa Gregorio XIII il nuovo calendario, detto appunto *gregoriano*, che sostituì quello *giuliano*, così chiamato perché istituito da Giulio Cesare. Sul versante dell'ordine pubblico Papa Sisto V condusse un'energica lotta contro i briganti che compivano frequenti scorrerie nella campagna romana e domò anche con le maniere forti le numerose ribellioni dei nobili locali.

Lo stesso papa iniziò una vasta opera di ristrutturazione edilizia della città di Roma, mediante la costruzione di numerosi edifici, creando una serie di quartieri nota come *Roma Sistina*, tuttora centro nevralgico della capitale. Paolo V fece completare la facciata della basilica di San Pietro, mentre Urbano VIII contribuì notevolmente alla crescita artistico-architettonica di Roma mediante il proprio appoggio ad artisti quali Lorenzo Bernini, autore del colonnato attorno a Piazza San Pietro, ed il Borromini.

* * *

L'unico stato italiano realmente indipendente era Venezia. Ancora in grado di essere una potenza internazionale, grazie ad un'efficiente e temuta amministrazione oligarchica, essa giungeva verso occidente al fiume Adda (ad est di Milano), mentre ad oriente essa possedeva gran parte dell'Istria e della Dalmazia con le rispettive isole, le isole Ionie (Corfù, Cefalonia e Zante), numerose isole dell'Egeo, tra cui Rodi, e, per un certo periodo, anche Cipro, ben presto conquistata dai Turchi. Fu questo evento a spingere Venezia ad allearsi con la casa d'Asbburgo per far fronte alla potenza ottomana. Si giunse in seguito alla costituzione di una lega cristiana che, nel 1571, sconfisse a Lepanto le forze navali turche, dando inizio ad un lento e inesorabile processo di declino dell'impero ottomano.

Del Concilio di Trento Venezia accolse soltanto alcune delle deliberazioni e una controversia giurisdizionale sorse tra la magistratura veneziana e Papa Paolo V (1605-1621) dal momento che la prima s'era rifiutata di deferire al tribunale ecclesiastico due preti, arrestati per reati comuni. Paolo V scomunicò i magistrati veneziani (1606) e solo la mediazione del re Enrico IV di Francia nell'aprile 1607 sventò il trasformarsi della disputa in una guerra europea. Il papa ritirò i provvedimenti nei confronti di Venezia e questa gli presentò le proprie scuse, senza tuttavia mutare le proprie leggi in proposito.

Il calo della potenza spagnola in Italia e la crescita dello Stato Sabaudo

Vero stato-cuscinetto tra la Francia e i possessi spagnoli in Italia era il Ducato di Savoia. Tornato indipendente dalla Francia dopo la vittoria di San Quintino e la pace di Cateau-Cambrésis, esso aveva accettato l'insediamento nel proprio territorio di truppe spagnole nelle fortezze di Asti e di Santhià e di truppe francesi in quelle di Torino, Chivasso, Chieri e Pinerolo. Lo sgombero di dette fortezze ebbe tuttavia inizio nel 1562, mentre l'acquisto delle contee di Tenda e di Oneglia permise allo stato di incrementare il proprio sbocco marittimo e di unire direttamente al territorio principale la Contea di Nizza, precedentemente annessa.

In politica interna il duca, Emanuele Filiberto, risollevò il paese dandogli salde istituzioni politiche e finanziarie e creando, mediante il richiamo obbligatorio alle armi, un esercito nazionale e non più mercenario.

Nel 1588 iniziò una serie di scontri armati con la Francia per il possesso del marchesato di Saluzzo, assegnato a questa a Cateau-Cambrésis. Il contenzioso ebbe fine nel 1601 con il trattato di Lione che assegnò il conteso marchesato allo stato sabaudo in cambio dei territori transalpini della Bresse, del Bugey e del Gex.

Era da tempo iniziato un graduale mutamento della politica sabauda in senso italiano. Infatti Emanuele Filiberto non si preoccupò più di tentare la riannessione di Ginevra e del cantone di Vaud, ormai passati alla Confederazione Svizzera, accettando pure, come abbiamo visto, la cessione alla Francia di vasti territori ad essa adiacenti, pur di ottenere Saluzzo, situata all'interno della cerchia alpina. Anche la capitale non era più la savoiarda Chambéry, che, nel 1563, aveva ceduto tale prestigio alla ben più italiana Torino. Coronava la nuova scelta politica il trattato tra il nuovo duca Carlo Emanuele I di Savoia ed Enrico IV di Francia concluso a Bruzolo, presso Torino nell'aprile del 1610, e che prevedeva un'offensiva congiunta nella Lombardia spagnola, l'annessione di questa allo stato sabaudo, l'elevazione di questo a regno, in cambio della cessione alla Francia dei suoi territori transalpini.

L'operazione non poté andare in porto per l'improvviso assassinio del re francese; tuttavia poneva il ducato sabaudo, sempre meno savoiardo e sempre più piemontese e italiano, a capo dei primi fermenti antispagnoli nella penisola.

Ma le ambizioni sul marchesato del Monferrato, ove erano sorti problemi di successione, coinvolsero Torino in una disastrosa serie di campagne belliche, dette appunto *guerre di successione*, nelle quali si scontrarono soprattutto interessi francesi e spagnoli. Queste si conclusero male per lo stato sabaudo, che, trovatosi a fianco degli Spagnoli, risultati perdenti, dovette accontentarsi soltanto di una piccola parte del Monferrato, dovette cedere Pinerolo alla Francia (pace di Cherasco del 1631) e riaffermare l'antico vassallaggio a quest'ultima con il trattato di Rivoli del 1635.

Nel 1620 un'insurrezione dei cattolici della Valtellina, allora territorio dei Grigioni, contro il predominio calvinista offrì alla spagna l'occasione di intervenire militarmente con la speranza di annettere la valle al già spagnolo territorio di Milano. Le armi diedero ragione alla Spagna, tuttavia l'intervento diplomatico della Francia operato dal suo primo ministro, il cardinale Richelieu, concluse la vicenda a favore dei cattolici, ma obbligò la Spagna a restituire la Valtellina ai Grigioni.

Intanto, nel 1618, era scoppiata la guerra che sarà chiamata *dei Trent'Anni*, massima conseguenza del contrasto egemonico franco-spagnolo. I suoi maggiori risvolti in Italia furono due.

Il primo fu la guerra civile in Piemonte, conclusasi nel 1642, e che videi due fratelli del duca Carlo Amedeo I, morto improvvisamente, schierarsi a favore della Spagna per contrastare la sottomissione passiva della reggente, Maria Cristina di Borbone, sorella di Luigi XIII di Francia, alla volontà di Parigi.

L'altra appendice italiana della Guerra dei Trent'Anni fu la rivolta di Palermo del 1647, guidata da Giuseppe Alessi, ma soprattutto quella di Napoli, capeggiata da un pescivendolo di Amalfi, Tommaso Aniello, noto come Masaniello.

Motivo dei disordini era stato, in un primo tempo, il diffuso malcontento popolare per le pesanti tasse che il governo spagnolo impose alle province italiane a sostegno della guerra in corso con la Francia; ma poi, dopo che Masaniello, ebro dell'improvviso potere e sempre più malvisto dalla popolazione, venne assassinato da alcuni congiurati, la ribellione assunse connotati politici. Infatti, sotto la guida di un armaiolo, Gennaro Annese, Napoli si autoproclamò repubblica indipendente sotto la protezione francese. Ne divenne capo il duca Enrico di Guisa, lontano erede della casa di Angiò, inviato a Napoli dallo stesso primo ministro francese, il cardinale italiano Giulio Raimondo Mazzarino.

Ma nell'aprile del 1648 una rivolta da parte dei nobili e sovvenzionata da Madrid ripristinò la sovranità spagnola su Napoli.

Il 24 ottobre di quello stesso anno si concluse la Guerra dei Trent'Anni e la pace di Westfalia sancì il nuovo ordine europeo. Vennero riconosciute le tre confessioni religiose dell'Europa occidentale: la cattolica, la luterana e la calvinista; fu riconosciuta l'indipendenza ai Paesi Bassi, già ribellatisi al tempo di Filippo II; venne confermata la sovranità francese sui tre vescovati renani di Toul, Metz e Verdum, nonché su Pinerolo. Le cose non andarono meglio per l'Impero, il quale divenne un semplice mosaico di 350 stati più o meno estesi, ma tutti con dignità di potenze sovrane, propria diplomazia e diritto di guerra. Il titolo imperiale era dunque puramente nominale, senza più incidere negli affari interni dei singoli stati.

Continuò a combattere la Spagna, che solo dopo undici anni, il 7 novembre del 1659, firmò la *pace dei Pirenei*, che, oltre a comportare cessioni territoriali a favore della Francia (Rossiglione e Cerdagna) e dell'Inghilterra (Dunkerque, residuo dei possessi spagnoli nel mare del Nord), nonché la liberazione del Portogallo, annesso alla Spagna all'epoca di Filippo II, segnò per quest'ultima l'inizio della decadenza a tutto vantaggio della Francia e, ben presto, dell'Inghilterra.

L'Italia e le guerre di successione

La seconda metà del XVII secolo fu dominata per intero dalla figura di Luigi XIV re di Francia, che, con la sua politica diretta ad instaurare il più autentico assolutismo monarchico, fece del proprio paese una potenza egemone sul continente europeo.

Ma l'ascesa nel 1688 al trono di Inghilterra di Guglielmo III d'Orange e la progressiva crescita di quel paese come potenza internazionale segnarono ben presto il declino del predominio francese in Europa.

In questo frangente vi furono notevoli cambiamenti sul piano territoriale, ma soprattutto istituzionale, per il ducato sabaudo.

Nel 1675 era succeduto in tenera età al padre, Carlo Emanuele II, il duca Vittorio Amedeo II, sotto la reggenza della madre, la principessa Maria Battista di Savoia-Némours, particolarmente influenzata dalla politica di Luigi XIV.

Giunto alla maggiore età, il nuovo duca prese immediatamente possesso della propria carica ed iniziò una politica di alterne alleanze tra la Francia e la Spagna, a quel tempo duramente impegnate militarmente l'una contro l'altra.

Nel 1690 Vittorio Amedeo riuscì a togliere ai Francesi Pinerolo ed a far loro smantellare, sei anni dopo, la fortezza di Casale.

Nel 1700 moriva il re di Spagna, Carlo II, designando nel proprio testamento quale suo successore un nipote dello stesso re di Francia, Filippo d'Angiò. Ciò scateno, l'anno seguente, la così detta *guerra di successione spagnola* tra la Francia e le altre potenze. Per Vittorio Amedeo era l'occasione buona per agire in modo da ottenere il suo più ambito risultato: annettere la Lombardia e diventare re.

Già nel 1700 la Francia gli aveva offerto il proprio appoggio per l'annessione dell'intero territorio milanese (Lombardia occidentale), la corona di re in cambio della Savoia, di Nizza, e del vicariato di Barcellona. Ma il duca aveva impartito al proprio delegato a Parigi, il conte di Vernone, l'ordine di limitare le concessioni territoriali alla Francia alla sola Savoia. Nizza, infatti, costituiva allora lo sbocco al mare più importante per il ducato ed aveva una rilevante funzione strategica. Il ministro francese Torcy temeva per il notevole rafforzarsi dello stato sabaudo in Italia, una volta in possesso di Milano, e propose per casa Savoia la corona di Napoli e di Sicilia, in cambio della rinuncia a tutti i possedimenti sabaudi. Il Vernone rimase irremovibile, costringendo così Parigi a rinunciare ai propri propositi.

La maggior parte degli stati italiani era rimasta al di fuori del contenzioso franco-spagnolo: solo il duca di Mantova, Ferdinando Carlo Gonzaga, assunse una posizione filo-francese. Anche Vittorio Amedeo si schierò dalla stessa parte, ma nel 1703 passò dalla parte dell'Austria, che, nel frattempo subentrata alla Spagna nel possesso di Milano e dell'Italia meridionale, gli garantiva abbondanti compensi.

Sul piano militare i primi anni di guerra furono un disastro per le truppe del duca, ripetutamente sconfitte da quelle di Luigi XIV, che conquistarono la Savoia, s'insediarono in buona parte del Piemonte ed assediarono la stessa Torino, la cui fortezza riuscì a resistere sino a che, il 29 agosto del 1706, una delle gallerie d'accesso alla fortezza fu fatta saltare da un minatore, Pietro Micca, che perse la vita nell'operazione. Ciò impedì la definitiva occupazione francese e, il 7 settembre successivo, giunsero a Torino le truppe austriache, condotte dal principe Eugenio di Savoia, e la battaglia si risolse con la sconfitta della Francia e la fine del suo predominio in Italia.

La pace di Utrecht del 1713, oltre ad assicurare il ritiro della Francia dai propri possessi all'interno della cerchia alpina, fruttò al ducato, elevato a regno, non la Lombardia, ma la Sicilia. Per una serie di successivi accordi, essa venne sostituita con la Sardegna, tanto che il regno fu ufficialmente denominato *Regno di Sardegna*, sebbene l'isola ne fosse soltanto una parte e la capitale continuasse a rimanere Torino.

Intanto alla pace di Utrecht seguì quella di Rastadt. Re di Spagna divenne Filippo d'Angiò, con il nome di Filippo V, secondo le richieste francesi; ma era ormai tramontata in Europa l'egemonia del *Re Sole* (appellativo col quale Luigi XIV passò alla storia). Lo stesso re di Francia morì l'anno seguente.

* * *

Malgrado la preoccupazione delle potenze occidentali di salvaguardare l'equilibrio creatosi in seguito alla pace di Utrecht, nuove guerre sconvolsero l'Europa a partire dal 1733.

La prima di esse fu quella per la successione al trono di Polonia. Morto nel 1733 Federico Augusto II di Sassonia, si aprì il contenzioso tra due pretendenti: Federico Augusto III, figlio del defunto sovrano e sostenuto dalla Russia come pure dall'Austria, e Stanislaw Leczynski, appoggiato dalla Francia. Questi fu cacciato con le armi dal rivale. La reazione di Parigi fu la dichiarazione di guerra all'Austria, alleandosi con la Spagna e con il Regno di Sardegna. Il conflitto durò cinque anni e si concluse con la pace di Vienna del 18 novembre 1738. Re di Polonia divenne Federico Augusto III di Sassonia, l'Austria mantenne il possesso della Lombardia occidentale (quella orientale apparteneva in gran parte a Venezia), ma cedeva al Regno di Sardegna (che, in alternativa chiameremo anche *Piemonte*) Novara e Tortona. Ma la perdita maggiore per gli Asburgo fu quella dell'Italia meridionale, ricostituita a regno sotto Carlo di Borbone, figlio di Filippo V ed Elisabetta di Spagna. Un particolare destino ebbe la Lorena. Questa fu assegnata al Leczynski con la condizione che, alla morte di costui, l'intero territorio passasse alla Francia. Ciò andò a danno di Francesco Stefano, duca di Lorena e di Bar, il quale a compenso per il forzato abbandono dei propri territori, riceveva il granducato di Toscana, ove, nel 1737, era morto, senza lasciare eredi, il granduca Gian Gastone de' Medici.

Solo due anni dopo la pace di Vienna scoppiò la guerra per la successione austriaca. Infatti nel 1740 moriva l'imperatore Carlo VI senza lasciare eredi maschi.

Unica figlia ed erede era la giovane Maria Teresa, andata in sposa a Francesco Stefano, duca di Lorena. Nel 1713 lo stesso Carlo VI aveva fatto riconoscere dai diversi paesi europei la così detta *prammatica sanzione*, che rendeva la corona imperiale trasmissibile ad una donna. Tuttavia, alla scomparsa del sovrano, il passaggio della corona a Maria Teresa fu contestato da diversi pretendenti, da Carlo Alberto di Baviera al già citato Federico Augusto III di Polonia, dai re di Francia e di Spagna al re di Sardegna, Carlo Emanuele III.

Ma a prendere l'iniziativa sul piano anche militare fu Federico II di Prussia che attaccò di colpo l'Austria da nord occupando la Slesia. Seguì l'occupazione della Boemia e della Moravia da parte di un esercito congiunto franco-bavarese, sicché la giovane erede al trono dovette rifugiarsi in Ungheria.

A favore di Maria Teresa si schierarono l'Inghilterra e poi lo stesso re di Sardegna. Questi, dopo una sconfitta subita dalle truppe francesi e spagnole nel 1744, riportò una serie di importanti vittorie, tra le quali quella dell'Assietta del 1747. L'anno precedente gli Austriaci si erano insediati a Genova suscitando una rivolta popolare iniziata da un ragazzo, Gian Battista Perasso, soprannominato Balilla, che costituì in seguito uno dei simboli dell'unità d'Italia.

La pace fu firmata ad Aquisgrana nel 1748. Maria Teresa poté cingere la corona imperiale, ma l'Austria perse definitivamente la Slesia a favore della Prussia e cedette al Piemonte l'alto Novarese e le città lombarde di Voghera e Vigevano, fissando così il confine orientale sardo lungo il lago Maggiore e il corso inferiore del Ticino.

* * *

In seguito alla pace di Aquisgrana la situazione territoriale dell'Italia era la seguente:

a) stati indipendenti con governi di origine interna:

- Regno di Sardegna (Piemonte, Lombardia sud-occidentale, Sardegna, contee di Nizza e di Tenda, Savoia) con capitale Torino;
- Repubblica di Genova (Liguria esclusa Oneglia, Corsica);
- Repubblica di Venezia (Lombardia orientale, Veneto, Friuli, Istria occidentale, parte della Dalmazia e del litorale albanese, Isole Ionie);
- Ducato di Modena e Reggio Emilia (Emilia centrale);
- Repubblica di Lucca e principato di Massa e Carrara (Toscana nord-occidentale);
- Principato di Piombino (costa toscana meridionale);
- Repubblica di San Marino, a cavallo tra il nord e il centro dell'Italia;
- Stato Pontificio (Bologna, Ferrara, Romagna, Marche, Umbria, Lazio e, staccate dal territorio principale, Pontecorvo e Benevento, nonché la stessa Avignone e il contado Venassino);

b) stati indipendenti sotto dinastie di origine parzialmente o interamente straniera:

- ducato di Parma, Piacenza e Guastalla (Emilia occidentale), sotto un figlio dei sovrani di Spagna;
- Granducato di Toscana, concesso nel 1738 a Francesco Stefano di Lorena;
- duplice regno di Napoli e di Sicilia (tutta l'Italia meridionale eccettuate le enclavi pontifice di Benevento e Pontecorvo), sotto l'infante spagnolo Carlo III, signore anche dei Presidi in Toscana;

c) possessi diretti di paesi stranieri:

- possessi austriaci del Milanese e dell'estremo est dell'Italia;
- principato vescovile di Trento, facente parte del Sacro Romano Impero Germanico;
- domini svizzeri della Valtellina (Lombardia settentrionale) e dell'alta valle del Ticino.

Fu la Spagna ad avere all'inizio una posizione di primato in Italia, avendovi piazzato, rispettivamente a Parma ed a Napoli, due propri principi. Successivamente, però, fu l'Austria di Maria Teresa ad assumere tale ruolo, grazie ad una serie di matrimoni delle diverse figlie dell'imperatrice con altrettanti principi italiani. La stessa Maria Teresa era poi moglie del granduca di Toscana, Francesco Stefano.

Nel 1768 Genova era costretta a cedere alla Francia la Corsica, teatro di infuocate ribellioni, accentuate dagli appetiti espansionistici della Francia, dell'Inghilterra e del Regno di Sardegna. Vana fu anche la tenace resistenza anti-francese dell'indipendentista Pasquale Paoli che, con i suoi soldati si oppose all'occupazione dell'isola da parte delle truppe di Luigi XVI, le quali, però, sconfissero il Paoli a Pontenuovo l'anno seguente.

Il dispotismo illuminato. Prime riforme

Ma la seconda metà del XVIII secolo fu anche uno dei più lunghi periodi di pace per l'Italia, mentre l'esplodere del pensiero illuminista risvegliava la penisola dal lungo letargo culturale del secolo precedente, sebbene la filosofia dei *lumi* avesse tratto i primi fondamenti proprio dal pensiero umanistico che fece grande il rinascimento italiano.

La letteratura usciva dal manierismo pseudoclassico di correnti come l'arcadia per dar lustro a poeti come Pietro Trapassi, detto il *Metastasio*, a commediografi come Carlo Goldoni, veneziano, caposcuola della così detta *commedia dell'arte*, ad un drammaturgo quale il piemontese Vittorio Alfieri, precursore, con i suoi scritti, degli ideali di unità politica dell'Italia, motivo conduttore, come vedremo più avanti, delle principali vicende italiane del secolo successivo. Nel secolo che stiamo esaminando non si era ancora giunti a quel livello: in ogni stato o territorio della penisola nessuno poneva in discussione la lealtà al proprio sovrano, sebbene straniero. Tuttavia l'opinione pubblica informata sentiva il bisogno di risollevare le sorti della cultura italiana mediante una presa di coscienza della propria identità su base nazionale.

La scienza ritrovava il vigore che, un secolo prima, le aveva dato la *rivoluzione copernicana*, la cui massima espressione in Italia era stato Galileo Galilei, inventore del telescopio. L'elettrologia conobbe uomini come Luigi Galvani e Alessandro Volta, inventore della pila.

A scienziati e uomini di lettere si affiancarono studiosi e critici del costume, quale Giuseppe Parini, dell'economia, come i fratelli Verri, e del diritto, come Cesare Beccaria, autore di un'opera intitolata *Dei delitti e delle pene*, nella quale egli prende posizione contraria alle torture e alla pena capitale, segnando un'importante tappa nella nascita del diritto penale moderno.

Fulcri di questo nuovo risveglio furono le città di Napoli e di Milano, ove si aprirono i primi *caffè*, che divennero presto luoghi di incontro della gente intellettuale che vi si riuniva per discutere. Tale fu l'importanza di questi nuovi locali alla moda che il più autorevole portavoce del nuovo pensiero fu il periodico intitolato proprio *Il Caffè*, che uscì a Brescia dal 1764 al 1766 a cura dell'accademia milanese denominata *Accademia dei Pugni.*

Collaborarono con *Il Caffè* Pietro Verri e lo stesso Beccaria, propugnatori di rinnovamento culturale e riforme sociali, da più parti fortemente auspicate.

Fu questo, sul continente europeo, il periodo del così detto *dispotismo illuminato*, che consisteva nella conservazione dei diritti assoluti della Corona dalla quale, tuttavia, scaturiva una certa volontà di riforme, anche se non si può parlare di processo di democratizzazione, giacché non era prevista espressamente la partecipazione della base all'attuazione di tali riforme. Dopo tutto, solo in Inghilterra, dove esisteva già un parlamento ed un'avviata borghesia era possibile iniziare a parlare di democrazia; altrove la classe colta, in grado di seguire attivamente l'andamento delle vicende politiche era sempre una minoranza in rapporto all'intera popolazione, la gran massa della quale era spesso analfabeta, dunque lontana da ogni ambizione democratica.

L'Italia non rimase al di fuori del processo riformatore. Notevole fu l'opera riformatrice di Maria Teresa e del suo successore, Giuseppe II, nei loro possessi italiani.

Abili ministri come i conti Cristiano Beltrame e Carlo di Firmian seppero risollevare in breve tempo le sorti del Milanese, privato di molti suoi territori, ceduti, come abbiamo già visto, al Regno di Sardegna. Sotto la direzione del toscano Pompeo Neri, fu redatto il primo catasto, ossia il registro di tutte le proprietà immobiliari dei cittadini, al fine di favorire una maggiore equità fiscale tra le classi sociali. Vennero soppresse le corporazioni, la cui esistenza risaliva, come già sappiamo, al medioevo.

Anche i rapporti con la Chiesa vennero rivisti. Furono soppressi il tribunale dell'Inquisizione e la censura ecclesiastica sui libri. I gesuiti furono estromessi dall'insegnamento e scomparve il diritto dei malfattori di non essere arrestati qualora si fossero rifugiati presso un luogo sacro (convento, monastero, o simili).

Altro importante centro delle riforme nei possessi di casa d'Austria fu la Toscana. Dopo la morte di Francesco Stefano di Lorena, marito di Maria Teresa e granduca di Toscana col nome di Francesco I, lo stato fu affidato al secondogenito dell'imperatrice, Pietro Leopoldo, quale possesso autonomo dell'Austria.

Anche qui vennero attuate molte delle riforme già operanti nel Milanese, in più esse si estesero nel campo delle successioni, ove venne abolito il maggiorascato, cioè il diritto del figlio primogenito ad ereditare l'intero patrimonio del padre a scapito degli altri figli. Sul versante penale venne abolita la tortura e la pena di morte, anche per delitti politici. Anche l'agricoltura conobbe notevoli benefici grazie ad ampie bonifiche nella Valdichiana e nella Maremma.

Appoggiato dal vescovo di Pistoia, Scipione de' Ricci, Pietro Leopoldo intraprese la propria opera di riforma anche nel settore ecclesiastico, tentando pure di pervenire alla creazione di una chiesa nazionale toscana. Il sinodo di Pistoia del 1786 deliberò questi propositi, ma l'anno seguente la maggioranza dei vescovi toscani, riuniti in un sinodo tenutosi a Firenze, respinsero i dettati del sinodo pistoiese. Il progetto di riforma ecclesiastica in Toscana fu definitivamente accantonato quando, nel 1790, Pietro Leopoldo doveva lasciare il granducato per cingere, come Leopoldo II, la corona imperiale.

Anche Carlo III di Napoli intraprese la propria politica di riforme, validamente appoggiato dal suo ministro, il toscano Bernardo Tanucci, proveniente dall'università di Pisa. Le riforme furono soprattutto rivolte all'appianamento delle differenze dovute ai numerosi privilegi di tipo feudale della nobiltà baronale e del clero. Fu rivitalizzata l'immagine culturale della città di Napoli. Le riforme continuarono sul versante finanziario anche dopo il 1759, anno in cui Carlo III assunse la corona di Spagna ed iniziò un periodo di reggenza affidato allo stesso Tanucci. Questi però fu licenziato dal nuovo sovrano, Ferdinando IV, divenuto maggiorenne, e fortemente influenzato dalla moglie, Maria Carolina d'Austria, figlia di Maria Teresa. Ferdinando, poco colto ed apatico, abbandonò ogni progetto di riforme e fece tornare la propria corte agli antichi schemi reazionari.

Analogo corso ebbero le vicende a Parma, dove regnava Filippo di Spagna (fratello di Carlo III di Napoli) che aveva sposato una figlia di Luigi XV di Francia, Luisa Elisabetta. Grazie alla presenza di Parma divenne un importante centro di irradiazione della cultura francese in Italia. Basti pensare che l'erede al trono parmense, Ferdinando, aveva avuto come proprio precettore il celebre filosofo francese Condillac. Motore delle riforme nel ducato fu un altro francese, Guillaume du Tillot, che fece per un periodo anche da reggente per lo stesso Ferdinando in attesa della sua maggiore età, raggiunta la quale, nel 1771, il giovane granduca, retrivo ed influenzato dalla moglie, Maria Amalia, anch'essa figlia di Maria Teresa d'Austria, licenziò il du Tillot e lasciò sfumare l'opera innovatrice degli anni precedenti.

Anche in Piemonte, dopo l'erezione dello stato a regno, iniziò un processo di rinnovamento istituzionale. Grazie all'apporto dei due ministri, Carlo Vincenzo Ferrero d'Ormea e Giovambattista Bogino, venne incoraggiata l'istruzione e si unificò il diritto civile e penale. Caddero pure numerosi privilegi nobiliari, ma, soprattutto fu rivolta l'attenzione alla situazione della Sardegna, abolendo antichi privilegi feudali e migliorando le comunicazioni all'interno dell'isola. Nel 1749 venne riaperta l'università di Cagliari e se ne creò una nuova a Sassari.

Interessante fu anche l'opera dei papi Benedetto XIV e Pio VI, che fece bonificare gran parte dell'Agro Pontino, a sud di Roma ed appoggiò numerosi artisti e letterati.

Nessuna riforma si ebbe invece nelle repubbliche di Genova e di Lucca. Venezia, ormai in declino sulla scena internazionale, rimase vittima di un'oligarchia aristocratica, refrattaria a qualsiasi innovazione istituzionale.

Il vento della Rivoluzione francese e l'Italia napoleonica

Il 14 luglio del 1789 iniziava quella Rivoluzione Francese che doveva cambiare l'intero corso della storia europea e fors'anche mondiale. Preludio di essa era stata la rivoluzione americana e la nascita, nel 1776, degli Stati Uniti d'America. Documento di estrema importanza per la storia futura fu la dichiarazione dei *diritti dell'uomo*, punto di partenza della nuova concezione democratica della politica.

L'influenza esercitata dai fatti di Parigi in Europa fu notevole. Si guardò alla Francia come al paese della libertà e molti esuli cominciarono ad affluirvi da ogni parte del *Vecchio Continente*. Forte di ciò, la Francia poté affrontare con maggior vigore le guerre nelle quali essa fu coinvolta del secolo XVIII e che le fruttarono notevoli ingrandimenti territoriali, tra cui la conquista e l'annessione del Belgio e, sul versante sud-orientale, quella della Savoia, del Nizzardo e di Oneglia.

La prima metà dello stesso decennio vide le prime insurrezioni in Italia. Principali teatri di questi primi moti furono gli stati sardi e la città di Bologna. Motore delle due insurrezioni era la necessità di una riforma agraria che però, ben presto, contemplò l'intero panorama delle riforme democratiche. In questa direzione si mosse anche l'insurrezione nel Regno di Napoli e di Sicilia, dove l'abate e massone Antonio Jerocades fondò la *Società Patriottica*. Ora, tutte queste insurrezioni fallirono e numerosi loro organizzatori furono condannati a morte e giustiziati. Coloro che ebbero salva la vita dovettero andare in esilio. Da quell'esperienza nacque in essi la convinzione di dover fare delle proprie ispirazioni il principio di una nuova coscienza, capace di superare i diversi particolarismi regionali a favore di una visione unitaria della nuova Italia.

In quello stesso periodo entrava sulla scena della storia la figura di Napoleone Bonaparte.

Nato ad Ajaccio, in Corsica, s'era trasferito con la famiglia in Francia, ove aveva intrapreso la carriera militare. Inviato in Italia, il 2 marzo 1796, fu nominato comandante in capo delle truppe francesi di stanza nella penisola.

Dopo un invito ai primi patriotti italiani ad appoggiarlo in cambio di libertà e benessere, egli iniziò una rapidissima serie di conquiste. Nell'aprile di quello stesso anno sconfisse ripetutamente gli Austriaci e i Piemontesi, costringendo il re di Sardegna, Vittorio Amedeo III, a concludere l'armistizio e poi la pace, che fu firmata a Parigi il 15 maggio successivo e che confermò alla Francia il possesso della Savoia, di Nizza e di Oneglia, con l'occupazione temporanea di alcune fortezze piemontesi da parte francese.

Il giorno prima le truppe del Bonaparte, che avevano intanto proseguito l'avanzata verso est, erano entrate a Milano, abbandonata dagli Austriaci, dove nel frattempo si era insediato un governo rivoluzionario. I combattimenti proseguirono poi nel territorio della Repubblica di Venezia, violandone la neutralità, e si conclusero con la vittoria di Borghetto del 30 maggio, che assicurò a Napoleone l'occupazione del Veronese. L'avanzata continuò nelle *Legazioni* pontifice, ossia in quel territorio dello Stato Pontificio comprendente le città di Bologna, Ferrara, la Romagna, Pesaro e Urbino, così definito perché era governato in nome del Papa da un cardinale *legato*, che risiedeva a Bologna. Il 23 giugno Papa Pio VI firmò l'armistizio che significò la rinuncia da parte di Roma alle province di Bologna e di Ferrara. Oltre a ciò furono consegnati ai Francesi cinquecento codici della Biblioteca Vaticana e cento opere d'arte, iniziando così il salasso che doveva subire il patrimonio culturale italiano ad opera del Bonaparte.

Il 5 luglio i Francesi occuparono Livorno, il cui porto serviva da rifugio per le navi inglesi (anche l'Inghilterra, a fianco dell'Austria e della Russia, era in guerra con la Francia); la Toscana non era in guerra con Parigi.

Invano gli Austriaci tentarono, dal luglio 1796 al gennaio 1797, di liberare Mantova, assediata dai Francesi. Questi ultimi, infatti, prevalsero grazie alle due vittorie di Arcole (novembre 1796) e di Rivoli (14 gennaio 1797) e la città capitolò il successivo 2 febbraio.

Intanto, con l'appoggio del Bonaparte, due nuove realtà politiche erano sorte nell'Italia del nord. Nel novembre del 1796 era nata la Repubblica Transpadana, con capitale Milano, occupata dai Francesi nel maggio precedente. In breve tempo Milano diveniva il centro nel nuovo patriottismo italiano, grazie ai numerosi militanti che vi accorsero da tutta l'Italia e fondarono nella città lombarda "Il Giornale dei Patriotti Italiani". Ad una corrente più rivoluzionaria e di ispirazione nazional-unitaria, si opponevano i moderati, in gran parte borghesi e membri dell'alta società, tra i quali v'era chi si limitava ad una visione strettamente regionale del problema italiano, ma vi era anche chi vedeva nella Lombardia il nucleo di una futura Italia unita.

Qualche mese dopo la creazione della Repubblica Transpadana, all'inizio del 1797, fu votata a Reggio Emilia l'instaurazione della Repubblica Cispadana (Reggio Emilia, Modena, Bologna e Ferrara), dopo che la stessa città di Reggio era insorta contro il duca di Modena il 25 agosto dell'anno prima e la stessa Modena era stata poi occupata dalle truppe napoleoniche. In occasione della creazione della Repubblica Cispadana il vessillo tricolore verde, bianco e rosso, precedentemente usato dalle milizie rivoluzionarie italiane, venne assunto come simbolo dell'unità nazionale italiana.

Il 19 febbraio 1797 il Papa, accusato da Napoleone di aver violato l'armistizio dell'anno precedente, era costretto a cedere al Bonaparte anche la Romagna (pace di Tolentino).

Dopo questi fatti l'azione del Bonaparte si rivolse verso l'Austria vera e propria e, dopo una lunga avanzata, il 7 aprile 1797, le truppe francesi giungevano a Semmering, ad un centinaio di chilometri da Vienna. Il 18 dello stesso mese Napoleone, prevaricando lo stesso governo di Parigi, concluse a Leoben i preliminari di pace con l'Austria, in base ai quali Vienna avrebbe definitivamente rinunciato alla Lombardia ed avrebbe ottenuto in cambio, a danno di Venezia, la Dalmazia, l'Istria e parte dello stesso territorio principale della Repubblica stessa, alla quale il Bonaparte avrebbe offerto le appena conquistate Legazioni Pontifice. Ma le cose non andarono così. Nei primi giorni di maggio, i Francesi attaccarono Venezia, dove, il giorno 12, si instaurò un governo rivoluzionario. La *Repubblica di San Marco* perdette la Lombardia orientale più diversi territori alla sinistra del fiume Adige, che, assieme alle promesse Legazioni, furono incorporate in un nuovo stato: la *Repubblica Cisalpina*, con capitale Milano, proclamata ufficialmente il 9 luglio 1797 e che comprese inizialmente i territori delle preesistenti repubbliche Cispadana e Transpadana. Ad essa, nell'ottobre di quell'anno, fu annessa pure la Valtellina, tolta ai Grigioni. Il 17 di quello stesso mese veniva stipulato il trattato di Campoformido, per il quale quanto ancora rimaneva della Repubblica Veneta passò all'Austria, assieme all'Istria e la Dalmazia, già promesse a Leoben, mentre passarono ai Francesi le isole Ionie e i porti sulla costa albanese.

Anche a Genova era soffiato il vento della rivoluzione e, nel maggio del 1797, vi si era insediato un nuovo governo che, nel dicembre successivo, cambiò la denominazione dello stato da Repubblica di Genova a Repubblica Ligure, la cui costituzione si ispirò, come un po' dappertutto, al modello francese.

A Roma un gruppo di *giacobini* (i rivoluzionari che si rifacevano al modello francese), rifugiati presso l'ambasciata di Francia, fu aggredito dai gendarmi; un colpo di artiglieria ferì mortalmente il generale francese Duphot, provocando un'immediata occupazione francese dello Stato Pontificio con la proclamazione della *Repubblica Romana*, mentre, cinque giorni più tardi, lo stesso papa, Pio VI, si rifugiò esule in Toscana.

Tuttavia la nuova repubblica ebbe vita difficile; alla fine del 1798, Roma fu occupata dalle truppe Napoletane. Ma un'immediata controffensiva francese reinstaurò la Repubblica Romana e si concluse il 23 gennaio 1799 con l'ingresso dell'esercito napoleonico a Napoli, il cui stato si proclamò *Repubblica Partenopea*, costringendo il re, Ferdinando IV di Borbone, a riparare in Sicilia.

Il 27 marzo partì per l'esilio anche il granduca di Toscana, Ferdinando III, e Pio VI, già esule per le vicende romane, fu arrestato nella Certosa di Firenze e condotto a Valenza, dove morì l'agosto successivo.

I rapporti tra la Francia e le nuove repubbliche italiane non furono buoni: gli ingenti tributi che queste dovevano in diverse forme a Parigi, con conseguente dissesto economico, posero le stesse in una situazione di vero e proprio vassallaggio. A ciò veniva ad aggiungersi il risentimento dei giacobini italiani per il comportamento di Napoleone a Campoformido. Tutto ciò contribuì ad indebolire le posizioni della Francia in Italia e, in breve tempo, giunsero i guai anche sul piano militare, ad opera d'una delle coalizioni europee anti-francesi che, al comando del generale russo Suvarov, sconfisse ripetutamente le truppe del Bonaparte nella pianura padana, costringendole ad asserragliarsi in Genova e a capitolare dopo lunghi mesi di assedio. Intanto la sanguinosa rivolta detta *dei lazzaroni* facilitò il ritorno a Napoli di Ferdinando IV e pose fine, il 13 giugno 1799, alla Repubblica Partenopea.

Ma fu un breve trionfo per la coalizione antinapoleonica, giacché il 9 dicembre di quell'anno un colpo di stato in Francia precedette di qualche giorno l'entrata in vigore di una nuova costituzione (13 dicembre). Fu instaurata una dittatura con a capo tre *consoli*, dove il ruolo di *Primo Console* venne assunto dal Bonaparte, il quale si apprestò immediatamente a preparare la contro-offensiva. Questa ebbe inizio il 4 giugno del 1800 e, in breve tempo, i Francesi rioccuparono Milano e reinstaurarono la Repubblica Cisalpina. Il 14 dello stesso mese le truppe austriache del generale Malas subirono la celebre disfatta di Marengo, presso Alessandria.

Con l'ormai nota scusa delle navi inglesi nel porto di Livorno Napoleone occupò pure la Toscana, mentre altre truppe francesi, comandate da Gioacchino Murat, mossero su Napoli, che fu costretta a chiedere l'armistizio. Questo fu firmato a Foligno il 18 febbraio 1801. La pace di Firenze del successivo 28 marzo impose all'esercito napoletano l'immediato sgombro di Roma, che le truppe di Ferdinando IV avevano rioccupato; Napoli dovette poi cedere Piombino e l'isola d'Elba, che essa possedeva sin dal periodo che seguì la dominazione spagnola. Piombino andò, come Lucca e poi Massa e Carrara, ad una sorella del Primo Console, Elisa Baciocchi. Il granducato di Toscana, divenne regno di Etruria, assegnato a Lodovico I di Borbone, marito dell'infanta di Spagna Maria Luisa.

Pur trovandosi immediatamente al largo di Piombino, l'isola d'Elba ebbe sorte diversa: fu infatti annessa alla Francia un anno e mezzo dopo, nell'agosto del 1802. Restavano sotto diretta occupazione francese il soppresso ducato di Parma e il Piemonte, tolto nuovamente a casa Savoia e annesso formalmente alla Francia nel settembre del 1802.

La Repubblica Cisalpina acquisiva nel proprio territorio Verona, il Polesine (tra il Po e l'Adige), Novara e la Val d'Ossola. Così non accadde per l'alta valle del Ticino, ai cui rappresentanti, che avevano espresso di voler far parte anch'essi della Cisalpina, Napoleone negò il proprio appoggio limitandosi a sostenere la nascita, in seno alla confederazione svizzera, del nuovo cantone autonomo del Ticino, precedentemente diviso tra diversi cantoni transalpini.

In occasione di una consulta riunitasi a Lione per discutere le disastrate condizioni materiali della repubblica con i rappresentanti di Parigi e con lo stesso Napoleone, i deputati cisalpini riuscirono ad ottenere il cambio della denominazione del proprio stato da Repubblica Cisalpina a Repubblica Italiana. Presidente fu nominato lo stesso Bonaparte, anche se sul suo nome vi furono numerose perplessità, poiché, secondo molti degli intervenuti, sarebbe continuata la loro subordinazione alla Francia, malgrado le dichiarazioni del Primo Console a favore di una completa autonomia.

Il 18 maggio del 1804 il senato francese deliberò la fine della repubblica consolare e l'instaurazione della monarchia imperiale, soluzione da tempo auspicata in diversi ambienti della politica parigina.

Conseguenza di ciò fu anche la trasformazione della Repubblica Italiana in Regno Italico, di cui il Bonaparte cinse la corona a Milano esattamente un anno dopo la sua proclamazione ad imperatore.

Il 6 agosto 1806 Francesco II d'Asburgo dichiarò definitivamente estinto il millenario Sacro Romano Impero e sostituì il vecchio titolo di Sacro Romano Imperatore e Re di Germania con quello di Imperatore d'Austria. Il fatto era forse destinato a dare una svolta determinante nella storia della monarchia asburgica nei rapporti con i propri sudditi non di lingua tedesca.

La prima grande sconfitta per il Bonaparte giunse dal mare. Al largo di capo Trafalgar (Spagna) la marina napoleonica fu ridotta allo sfascio da quella inglese. Ma qualche giorno dopo Napoleone confermò la propria incontrastata supremazia sul Continente, facendo capitolare, il 19 ottobre, ad Ulm, in Baviera, le truppe austriache, per sconfiggerle nuovamente il 2 dicembre nella storica battaglia di Austerlitz (Moravia). A quest'ultima seguì il trattato di Presburgo del 26 dicembre, che tolse all'Austria quasi tutti i suoi possessi italiani. Infatti i territori ex-veneziani sino al fiume Isonzo passarono al Regno Italico, mentre l'Istria e la Dalmazia vennero incluse nell'impero napoleonico in seno alle Province Illiriche. Alla Baviera, alleata del Bonaparte, andò il Tirolo con il Trentino.

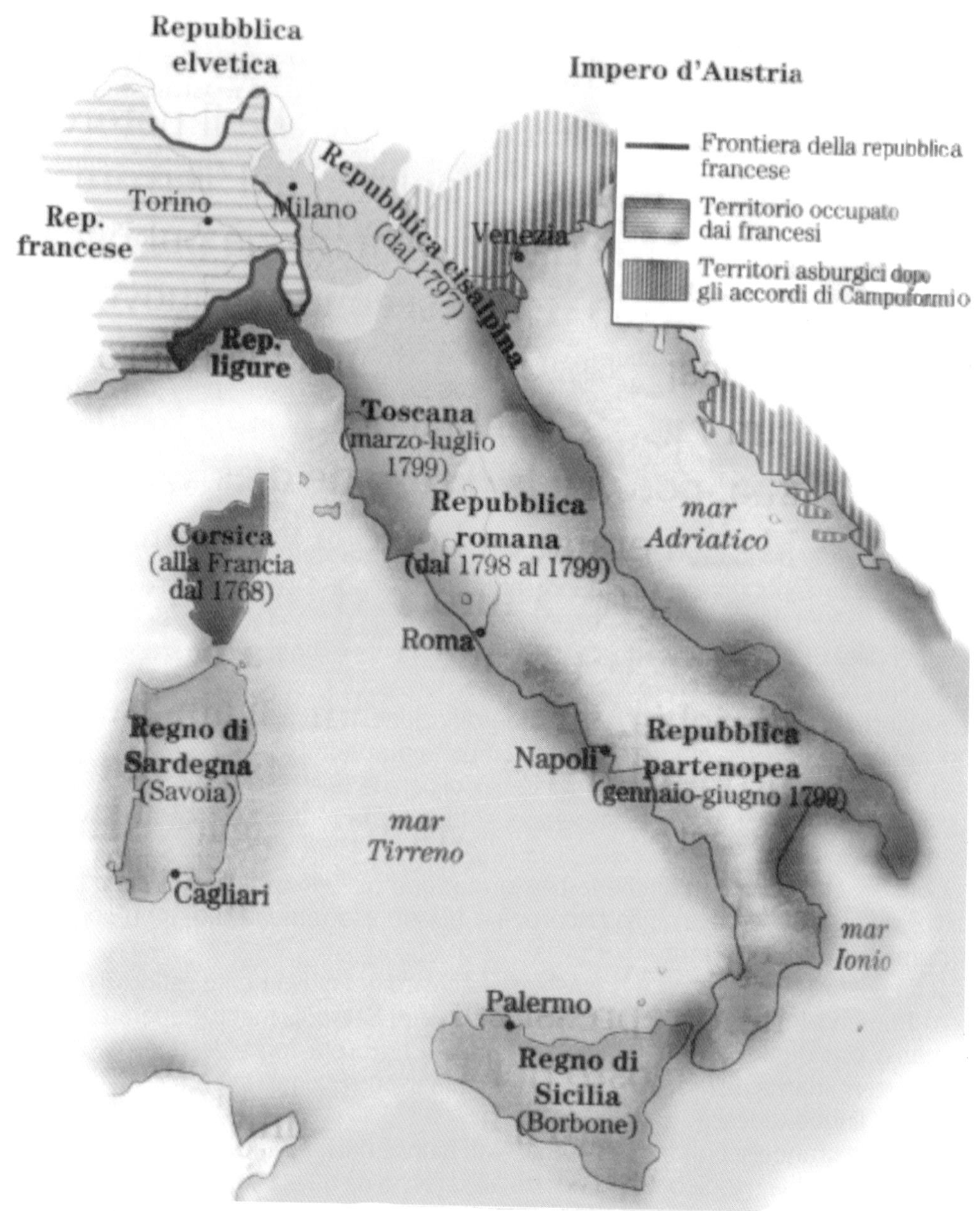

L'Italia nel 1799

Intanto si era estinta anche la Repubblica Ligure che, al pari del Piemonte e dell'Elba, era divenuta semplice territorio francese.

Il 15 febbraio del 1806 Giuseppe Bonaparte, fratello di Napoleone, fu proclamato re di Napoli, dopo che le truppe francesi del Massena avevano provveduto a liberargli il trono costringendo all'esilio Ferdinando IV e Maria Carolina, i quali trovarono rifugio in

Sicilia, protetti dalla marina inglese. Solo due anni più tardi le truppe francesi del Miollis occuparono Roma e decretarono la fine del potere temporale del Papa, dopo aver sottratto allo Stato Pontificio le Marche, con l'importante porto di Ancona (novembre 1807).

Divenuto re di Spagna, Giuseppe Bonaparte dovette cedere il regno di Napoli a Gioacchino Murat, che aveva sposato Carolina, sorella di Napoleone. Tuttavia non fu un buon vassallo del cognato, in quanto condusse subito una politica di chiara autonomia da quella di Parigi.

Murat era timoroso per la troppa dedizione alla Chiesa romana da parte di Maria Luisa di Borbone, infanta di Spagna e vedova di Lodovico I di Borbone, al quale Napoleone aveva assegnato il Regno di Etruria. Per questo, si dimostrò, più favorevole ad una politica ecclesiastica *gallicana*, ossia più tipicamente francese, privò Maria Luisa del regno e, dopo una breve parentesi di annessione alla Francia stessa assieme a Parma e Piacenza, nel marzo del 1809 lo assegnò con la precedente denominazione di Granducato di Toscana alla sorella Elisa, che già possedeva le città di Piombino, Lucca, Massa e Carrara (toscane per contesto geografico e culturale, ma sempre rimaste fuori dal territorio politico toscano). Si può dire che con quell'atto la Toscana raggiunse la propria unità politica.

Nel 1809 l'Austria attaccò la *Confederazione del Reno*, una confederazione di stati germanici filonapoleonici, creata l'indomani del trattato di Presburgo. La risposta francese fu immediata e, il 6 luglio 1809 a Wagram, l'Austria venne di nuovo battuta. Conseguenza di quella nuova sconfitta fu il trattato di Schönbrunn del 14 ottobre 1809. L'Austria perdette a favore dell'Impero Francese tutti i territori che le erano rimasti sull'Adriatico, comprese le città di Trieste e Fiume, rimanendo così senza sbocco sul mare. Alla Baviera fu ceduta Salisburgo con il distretto dell'Inn; ma la stessa dovette cedere al Regno Italico il Trentino, popolato prevalentemente da Italiani.

Il declino e la fine dell'epoca napoleonica in Italia

Il 1812 fu un anno nero per il Bonaparte. Minacciato sempre di più dall'esterno e, soprattutto, dalla potenza inglese, Napoleone doveva affrontare anche i crescenti problemi nazionali che sorgevano all'interno del suo impero.

In Italia, per esempio, il periodo napoleonico fu di indubbia importanza per il risveglio politico nazionale, ma questo, naturalmente, non si compì a favore di una maggior convinzione degli Italiani della necessità di legarsi sempre più alla Francia. L'epoca napoleonica in Italia fu la chiave per la riscoperta anche sul versante politico di quella coscienza nazionale italiana da secoli presente sul piano culturale. Parigi, tuttavia, accettava questa situazione con qualche perplessità, e così iniziarono i primi malcontenti, specialmente in Piemonte e Liguria, in precedenza annessi alla Francia, dove c'era stato un tentativo di deitalianizzazione.

In Sicilia il re Ferdinando IV, nell'isola rifugiatosi in séguito alla perdita del trono di Napoli, aveva permesso agli Inglesi di far stanziare proprie truppe permanenti e, con l'appoggio del comandante in capo di quelle, Lord Bentinck, e dell'aristocrazia baronale dell'isola, fu redatta una costituzione sul modello inglese che, in séguito ad alcuni torbidi, fu trasformata dallo stesso Bentinck in una dittatura.

Ma il 1812 fu l'anno della disastrosa campagna napoleonica di Russia, il cui esito aggravò ulteriormente la situazione interna. Le cose precipitarono l'anno seguente, con la disfatta di Lipsia (*Leipzig* in tedesco) e il 1814 fu l'epilogo. Murat approfittò della situazione e, in gennaio, firmò un vero patto di alleanza con l'Austria, la quale gli prometteva una più sicura frontiera per il suo regno. Così le truppe napoletane intrapresero una lunga marcia verso nord giungendo in riva al Po, ove però il timore di un complotto, spinse il Murat a ritornare tempestivamente a Napoli.

Anche gli Inglesi del Bentinck partirono dalla Sicilia per la loro "campagna d'Italia" sbarcando prima a Livorno e poi a Genova.

Il 6 aprile, Napoleone abdicò, mentre cessò anche la disavventura di Pio VII nel castello di Fontainebleau, presso Parigi, dove il pontefice era giunto prigioniero in seguito all'occupazione francese di Roma del 1808.

Il 17 aprile Eugenio Bonaparte, viceré del Regno d'Italia, dovette anch'egli firmare un armistizio con l'Austria, le cui truppe occuparono Milano qualche giorno più tardi. La definitiva annessione della Lombardia all'Austria fu resa formale con un apposito decreto imperiale del 12 giugno successivo.

Quest'ultimo fatto suscitò numerose opposizioni da parte degli Italiani, i quali inviarono propri rappresentanti alla conferenza di pace che si aprì a Vienna il 1° novembre 1814. Nonostante l'esito negativo della missione, era positiva la chiara visione nazionale del problema italiano, segno di indubbia maturità e di progresso civile dei suoi portavoce.

Del malcontento italiano approfittò Gioacchino Murat. Riconciliatosi con Napoleone in occasione della fuga dall'Elba e l'inizio dei famosi *cento giorni*, il re di Napoli, che l'Austria s'era impegnata ad appoggiare, vedeva sempre più svanire il proprio sogno di mantenere quella corona a causa dell'opposizione dell'Inghilterra, favorevole al ritorno dei Borboni. Per questo volle tentare di riaggiustare la situazione militarmente, fomentando una guerra di liberazione nazionale. Così, il 15 marzo 1815, l'esercito di Gioacchino Murat iniziò la seconda marcia verso il nordo Italia. A Rimini fu lanciato un proclama che invitava tutti gli Italiani alla sollevazione contro il ripristino degli antichi principati, voluto dalle potenze vincitrici. Le truppe dell'irrequieto sovrano giunsero anche questa volta al Po; ma, il 3 maggio furono battute a Tolentino da quelle austriache. Cadde così ogni perplessità sul destino da riservare al superstite portavoce dell'Italia bonapartista e, il 20 dello stesso mese, fu decretato l'atto della sua detronizzazione a favore di Ferdinando IV.

Il 18 giugno finirono, con la disfatta di Watherloo, i *cento giorni* di Napoleone e, con essi, le ultime speranze di un ritorno trionfale del Bonaparte sulla scena politica e militare. Un ultimo tentativo fu compiuto dal Murat per riprendere la sua "campagna d'Italia". Sbarcato con pochi uomini sulla costa calabrese, egli fu però catturato. Condannato a morte, venne fucilato il 13 ottobre di quel burrascoso 1815.

L'ETÀ CONTEMPORANEA

Gli anni della Restaurazione
Dai Moti mazziniani al trionfo dei Moderati
Dal biennio delle Riforme al '48
Verso l'Italia unita
Vittorio Emanuele re d'Italia
Il fascino di Roma
Dalla presa di Roma alla morte di Umberto I
L'età giolittiana
La grande guerra e l'Italia
Il dopoguerra
Il ventennio fascista
l'Italia e la seconda guerra mondiale
La pace e le nuove scelte italiane
Dal "miracolo economico" agli "anni di piombo"
Il lento risveglio
Venti nuovi da Est
"Tangentopoli" e gli anni della transizione
Fine di un quarantennio

Gli anni della Restaurazione

Il 9 giugno 1815, prima ancora che Napoleone subisse l'ecatombe di Watherloo, le quattro potenze vincitrici (Austria, Inghilterra, Prussia e Russia) firmarono a Vienna l'atto che ridisegnava la carta politica dell'Europa e, in particolare, quella italiana.

In base al principio per cui si doveva il più possibile ritornare alla situazione politica prenapoleonica, vennero in gran parte reinstaurati gli antichi stati italiani, soppressi con l'arrivo del Bonaparte. Perciò l'Italia risultò divisa in:

- Regno di Sardegna, nuovamente sotto la dinastia dei Savoia, con gli antichi confini (anche verso la Francia), al quale era stato annesso pure il territorio dell'antica Repubblica di Genova;
- Viceregno Lombardo-Veneto, diretto possesso dell'Impero austriaco, comprendente

la Lombardia e i territori della non più reinstaurata Repubblica Veneta, esclusa l'Istria, la Dalmazia e le altre isole;

- Ducato di Parma-Piacenza-Guastalla, sotto la moglie di Napoleone, Maria Luisa d'Austria, alla morte della quale il ducato sarebbe ripassato all'antica dinastia di Borbone-Parma;
- Ducato di Modena-Reggio Emilia, ove Maria Beatrice d'Este, moglie dell'arciduca d'Austria Ferdinando, svolgeva le funzioni di reggente per il duca erede, Francesco IV d'Asburgo-Este, alla quale venne assegnato anche il principato di Massa e Carrara, essendo l'unica erede dell'antica famiglia principesca locale dei Cybo, con la clausola che, alla morte di Ley, il piccolo principato sarebbe stato definitivamente annesso al ducato di Modena;
- Granducato di Toscana, sotto la casa d'Asburgo-Lorena, al quale vennero sostanzialmente riconosciuti gli ingrandimenti territoriali ottenuti in epoca napoleonica, con l'eccezione appena vista per Massa e Carrara;
- Stato Pontificio, ritornato anch'esso ai confini prenapoleonici;
- Regno delle Due Sicilie, sotto l'antica dinastia borbonica, e risultante dall'unificazione delle due corone rispettivamente di Napoli e di Sicilia.

Iniziava così il periodo noto come *Restaurazione* (1815-1830).

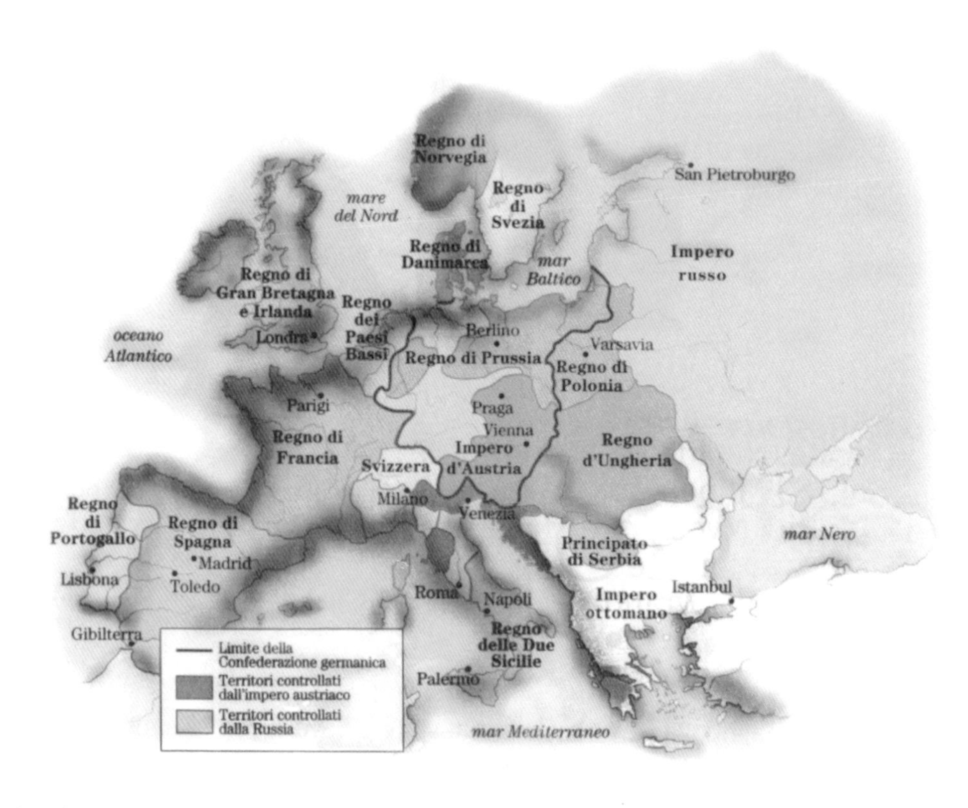

La situazione politica dell'Europa dopo il Congresso di Vienna

L'Italia dopo il Congresso di Vienna

Il ritorno, ove ciò fu possibile, all'antico assetto politico fu accompagnato da un generale regresso istituzionale, giacché quasi ovunque fu abolita o venne largamente rimaneggiata la legislazione napoleonica, per dar posto alle leggi assolutistiche del secolo precedente.

Il predominio austriaco nella penisola era fuori discussione, tuttavia non erano i possessi asburgici del Lombardo-Veneto quelli che subivano le maggiori repressioni. Ad eccezione del ducato di Parma e il Granducato di Toscana, gli altri stati italiani (Regno di

Sardegna, Stato Pontificio, Regno delle Due Sicilie) ebbero governi ben più reazionari. A Vienna, infatti, il primo ministro austriaco, Metternich, aveva conservato diverse leggi del periodo napoleonico, dando così vita ad un'amministrazione senza dubbio migliore di molte altre. Ciò che il Metternich non tollerava erano le rivendicazioni nazionali, destinate a crescere con il diffondersi dell'ideale romantico. Accurati controlli venivano effettuati sui mezzi di informazione del tempo da parte della censura e venne rafforzata e riorganizzata la polizia.

Ora, se sul piano strettamente amministrativo la capacità dell'Austria era da più parti riconosciuta, così non era sul piano politico. L'esperienza del Regno Italico, malgrado le divergenze con Parigi, era stata un'importante tappa per gli Italiani della Lombardia e del Veneto, i quali, come già detto, conobbero un'importante crescita istituzionale che permise loro concretamente di sentire per la prima volta il bisogno di tradurre in politica quelle aspirazioni nazionali che, sino ad allora, erano state solamente culturali.

Fu dunque indelicato il primo ministro austriaco quando pronunciò la famosa frase "Bisogna che dimentichino di essere italiani...". Dopo tutto, Vienna, futura capitale dell'operetta e del walzer, sperava di riuscire ad uniformare sul proprio modello centri di irradiazione culturale come Praga, Padova, Pavia ecc., sedi di secolari università. Ma era l'unico modo per fare dei propri sudditi quello che il Metternich definiva come "buoni Austriaci", presunzione che l'Austria avrebbe pagato a caro prezzo di lì a un secolo.

Questa situazione e le situazioni parallele negli altri stati italiani, favorirono il diffondersi nella penisola di numerose società segrete. Bisogna precisare che, se in Francia o in Spagna queste società avevano lo scopo principale di ottenere dalle rispettive corone riforme di tipo liberale accompagnate a salde garanzie costituzionali, o anche il passaggio dalla monarchia alla repubblica, in Italia l'urgenza primaria era quella di unificare il paese e renderlo indipendente. A questo imperativo obbedì soprattutto la *Carboneria*, formatasi nell'Italia meridionale ai tempi del Murat e diffusasi in tutta la penisola in séguito alle campagne che l'inquieto cognato del Bonaparte condusse nei suoi ultimi anni di regno. I membri di questa società, i *carbonari*, si chiamavano tra loro *buoni cugini* e le loro riunioni prendevano il nome di *vendite*.

Al nord la Carboneria entrò in contatto con l'altra importante società segreta italiana, quella dei *Sublimi Maestri Perfetti*. Fondata da Silvio Buonarroti, oltre al raggiungimento dell'unità nazionale, la società si prefiggeva una massiccia riforma agraria e la nascita di una società su basi comuniste.

Il primo vero moto scoppiò tra l'1 e il 2 luglio del 1820 ad opera soprattutto di militari che avevano fatto la carriera con il Murat. Tra essi emergeva la figura del generale calabrese Guglielmo Pepe. Non fu affatto difficile per gli *ammutinati* (i soldati ribelli) propagare la rivolta e, il 7 luglio, il re, Ferdinando I, decise di concedere la costituzione, che fu redatta sul modello di quella promulgata in Spagna a séguito della rivoluzione che s'era conclusa alcuni mesi prima nel paese iberico. Come in Spagna anche nel Regno delle Due Sicilie furono i moderati ad entrare nel nuovo governo costituzionale e ciò creò dei progressivi dissapori tra questi e i carbonari, più radicali.

Per di più, tra il 14 e il 16 luglio, scoppiava una violenta rivolta separatista in Sicilia, condotta dalla nobiltà baronale e dalle maestranze popolari palermitane. Palermo venne creata una giunta provvisoria di governo, in seno alla quale le maestranze popolari imposero l'Ammissione di loro rappresentanti quale condizione per il loro appoggio alla giunta stessa. A questo punto le cose cambiarono, giacché i nobili vedevano seriamente minacciati i propri secolari privilegi. Fallita ogni trattativa tra il governo napoletano e gli insorti, il generale Florestano Pepe, fratello di Guglielmo, ricevette da Napoli l'ordine di avanzare su Palermo per ripristinarvi l'ordine costituito. Poco prima di arrivare a Palermo, egli fu raggiuntio a Termini Imerese, dal rappresentante dei nobili che firmò l'atto di capitolazione, unico modo per salvare i suddetti privilegi.

Da parte popolare si gridò al tradimento e, il 25 settembre, ci fu una sommossa delle maestranze, le quali ebbero ragione della nobiltà, ma il 5 ottobre successivo, capitolarono anch'esse.

Malgrado tutto, le condizioni di resa offerte dal generale Pepe furono eccezionalmente onorevoli. Infatti lo stesso generale volle concedere ai Siciliani la facoltà di scegliere tra l'invio dei propri rappresentanti al comune parlamento di Napoli il ripristino del parlamento siciliano. Ciò mise in serie difficoltà lo stesso generale, in quanto la sua concessione avrebbe di fatto compromesso l'unità del regno, che Napoli intendeva assolutamente conservare. Al posto del Pepe fu inviato in Sicilia il generale Pietro Colletta.

Ferdinando I non aveva mai accettato di buon grado il regime costituzionale ed aveva sperato in un soccorso delle potenze reazionarie. Furono esse stesse ad offrirgli l'occasione per esprimersi apertamente, al congresso che si svolse a Lubiana (Ljubljana in sloveno, *Leibach* in tedesco) nel gennaio del 1821, durante il quale il sovrano borbonico chiese espressamente un intervento armato contro le nuove istituzioni del suo regno. L'intervento avvenne ad opera delle truppe austriache le quali ebbero ragione di quelle napoletane il 7 marzo 1821 a Rieti e il giorno seguente ad Antrodoco, ponendo fine all'esperienza costituzionale delle Due Sicilie.

Il giorno 9 la rivolta scoppiò in Piemonte, inizialmente appoggiata anche dal principe ereditario, Carlo Alberto di Savoia-Carignano, il quale, in seguito all'abdicazione (13 marzo) dell'anziano re, Vittorio Emanuele I, ebbe la reggenza temporanea del paese. Egli concesse la costituzione, respinta però dal reazionario Carlo Felice, legittimo erede al trono. Scoppiata la rivolta, egli accusò Carlo Alberto di complicità, gli intimò di lasciare Torino per raggiungere Novara e consegnarsi alle autorità militari rimaste fedeli al regime appena destituito. Abbandonato a se stesso, il governo rivoluzionario, guidato dal conte Santorre di Santa Rosa, dovette ben presto dimettersi, mentre, l'8 aprile un contingente austriaco, in appoggio a Carlo Felice, disperdeva presso Novara i rivoluzionari, diretti in Lombardia nel tentativo di provocare una sollevazione.

Arresti e processi fioccarono a decine. Focolai cospirativi furono scoperti anche nello Stato Pontificio, ove furono eseguite due condanne a morte. Un'altra sentenza capitale fu eseguita a Modena.

L'Austria commutò le numerose sentenze di morte in condanne al carcere duro. Così, quando a Milano fu scoperta una "vendita" carbonara finirono nella prigione dello Spielberg, in Moravia, numerosi attivisti anti-austriaci, tra cui il romagnolo Pietro Maroncelli e il piemontese Silvio Pellico. Quest'ultimo era stato direttore di una rivista letteraria a sfondo romantico anti-asburgico, *Il Conciliatore*, fondato nel settembre del 1818, che fu in aperta polemica con "La Biblioteca Italiana", classicista e filo-austriaca. La chiara matrice politica spinse le autorità di Vienna a far cessare la pubblicazione del Conciliatore.

A questo punto le energie della classe dirigente milanese si rivolsero a programmi di crescita civile ed economica. Furono notevolmente migliorate le tecniche agricole, mentre comparvero sul Po le prime imbarcazioni a vapore. Importante fu anche lo sforzo per la diffusione dell'istruzione elementare.

Il ruolo di centro di irradiazione culturale passò da Milano a Firenze, dove il ginevrino Jean-Pierre Viesseux, con la collaborazione di Gino Capponi, fondò nel 1821 una nuova rivista, *L'Antologia*.

Dalla Svizzera andò a vivere a Firenze anche lo storico Sismondo de Sismondi, autori di una *Storia delle Repubbliche Italiane* che ispirò l'azione dei militanti italiani.

* * *

La rivoluzione parigina del 1830 e l'avvento della *Monarchia di Luglio* furono il pretesto per nuovi fermenti liberali in Europa.

Quando le notizie dei fatti di Francia giunsero in Italia, in alcuni dei suoi stati erano sorti problemi di successione. L'8 novembre moriva Francesco I re delle Due Sicilie e, il 30 dello stesso mese, papa Pio VIII; iniziava un lungo conclave per l'elezione del successore al soglio di San Pietro.

Dopo il fallimento dei moti insurrezionali del 1820-21 l'attività delle società segrete non era affatto diminuita, tanto che una nuova insurrezione si stava preparando nel ducato di Modena. Artefici della cospirazione erano Enrico Milsley e Ciro Menotti. Singolare fu il comportamento del duca Francesco IV, il quale, nella speranza di un eventuale ingrandimento del proprio stato, si schierò al fianco dei cospiratori; ma appena l'Austria cominciò ad ammassare le proprie truppe al confine meridionale del Lombardo-Veneto, il duca rivelò le proprie reali intenzioni. La notte tra il 3 e il 4 febbraio 1831 fece arrestare il Menotti assieme ad una quarantina di altri congiurati.

Tuttavia, ciò non impedì lo scoppio della rivolta, la quale si propagò rapidamente anche nel ducato di Parma, costringendo la duchessa Maria Luisa a fuggire a Piacenza, e nelle Legazioni pontifice ove, proprio il 4 febbraio, il potere passò ad un governo provvisorio. Francesco IV fuggì a Mantova, in territorio lombardo-veneto, perciò austriaco, ove fu condotto pure Ciro Menotti prigioniero.

Intanto il 26 febbraio venne istituito il Governo delle Province Unite, corrispondenti alle insorte Legazioni. Il governo era presieduto dall'avvocato bolognese Vicini, mentre le forze armate furono organizzate in due corpi: il primo fu affidato al generale Zucchi ed ebbe l'incarico di far fronte ad un prevedibile intervento austriaco, l'altro, al comando del generale Sarcognani, avrebbe dovuto marciare direttamente su Roma.

Proprio in quel periodo si stava consumando la rivolta indipendentista del Belgio, in merito alla quale Re Luigi Filippo di Francia era riuscito ad ottenere il non intervento delle potenze dell'Europa Centrale, nonostante il loro appoggio al reazionario re d'Olanda, Guglielmo I di Nassau-Orange.

Anche gli insorti italiani sperarono nel soccorso francese contro un eventuale intervento dell'Austria; ma ciò non avvenne e, quando le truppe austriache alla fine intervennero, il Governo delle Province Unite dovette capitolare e il territorio ritornò alla giurisdizione pontificia. Ritornarono ai rispettivi troni Maria Luisa di Parma e Francesco IV di Modena, mentre Ciro Menotti e il notaio Vincenzo Vorrelli, reo di aver sottoscritto l'atto di decadenza della corona ducale modenese, vennero messi a morte il 26 maggio 1831. A ciò si aggiunse una prolungata occupazione austriaca dei territori teatro della ribellione. Cessata tale occupazione, nel 1832, scoppiò una nuova insurrezione nelle *Romagne* (le Legazioni Pontifice) da parte della popolazione, stanca del pessimo governo romano.

Il papa, Gregorio XVI, chiese a Vienna la rioccupazione delle province insorte. Essa avvenne regolarmente, ma questa volta la Francia intervenne occupando con proprie truppe la città di Ancona. Tuttavia non dovette trattarsi tanto di un'azione a favore degli insorti quanto piuttosto un atto dimostrativo, volto ad aumentare il prestigio francese nei riguardi delle altre potenze europee; tant'è che il fatto non ebbe ulteriori sviluppi di rilievo.

Dai Moti mazziniani al trionfo dei Moderati

Il fallimento dei moti carbonari del 1830-31 aveva segnato l'inizio di una progressiva crisi delle stesse società segrete, intese come sette di cui né il programma né i membri dovevano apparire pubblicamente.

Portavoce di una nuova linea d'azione da proporre ai patrioti italiani fu Giuseppe Mazzini. Nato a Genova nel 1805, laureato in giurisprudenza all'università della città natale, egli iniziò molto presto la propria attività cospirativa nella Carboneria. Scoperto dalla polizia, venne arrestato e rinchiuso nel carcere di Savona, ma al processo non vi furono sufficienti prove per condannarlo definitivamente. Fu costretto ad optare tra il soggiorno obbligato in un piccolo villaggio del Piemonte e l'esilio. Scelse la seconda soluzione e raggiunse la Francia.

Si stabilì a Marsiglia, dove entrò in contatto con numerosi altri fuoriusciti italiani, con i quali fondò la "Giovine Italia", una società la cui segretezza doveva limitarsi ai nominativi dei membri che la componevano, ma il cui programma doveva essere pubblico. Scopo finale della "Giovine Italia" era il raggiungimento dell'unità nazionale dell'Italia eretta a repubblica. Gli Italiani non dovevano attendere dall'esterno la propria liberazione nazionale, bensì dovevano esserne loro stessi gli autori, contando solamente sulle proprie forze.

Nel 1833 fu sventata una sollevazione che avrebbe dovuto estendersi in tutto il Piemonte, e la cui scoperta costò la vita a diversi seguaci di Mazzini. L'anno seguente la Savoia fu teatro di un nuovo tentativo insurrezionale, con a capo il generale Ramorino.

L'impresa partì da Ginevra, ma, al primo scontro con le truppe regolari sarde, i ribelli dovettero arrendersi.

Mazzini riparò in Svizzera, ove fondò la *Giovine Europa*, a séguito di una considerazione più ampia del proprio programma politico. Al centro del suo pensiero v'era la concezione religiosa della vita intesa come una missione, l'identificazione di Dio nell'Umanità e l'unità di quest'ultima quale prodotto dell'armonia tra le nazioni. Secondo il patriota genovese l'Italia era chiamata a un'opera di redenzione universale (missione della *terza Roma* - dopo la Roma dei Cesari e quella dei papi).

Ma il fallimento dei numerosi moti che scoppiarono in quegli anni, fu motivo di una crescente crisi nel movimento mazziniano e nella sua affermazione dell'insurrezione quale mezzo necessario per ottenere la liberazione dell'Italia. Lo stesso Mazzini ebbe numerosi dubbi sul proprio pensiero, ma fu per lui un fenomeno momentaneo e, trasferitosi a Londra nel 1837, riprese l'attività propagandistica. Nel 1844 i fratelli Attilio ed Emilio Bandiera, figli di un ufficiale della marina austriaca, ma votati alla causa italiana, tentarono di sollevare una rivolta nell'Italia meridionale, dopo che era giunta loro la notizia di alcuni focolai di ribellione in quella parte della penisola.

Della spedizione era stato informato il Mazzini, il quale li invitò a non compiere l'impresa, smentendo loro la notizia che li aveva portati a quella decisione. A ciò si aggiunse l'intromissione della polizia inglese, che, aperte alcune lettere dell'esule italiano, venne al corrente del piano dei Bandiera e lo comunicò alle autorità di Napoli.

Sbarcati in Calabria, i due fratelli incontrarono l'ostilità dei contadini locali, alla quale seguì l'intervento delle forze regolari borboniche, giunte in tempo per arrestarli e, infine, la condanna a morte, che fu puntualmente eseguita.

L'insuccesso della spedizione e la fallita ribellione in Romagna nel settembre del 1845, determinarono una crisi profonda della concezione mazziniana della lotta nazionale, basata sull'esistenza di continui focolai di ribellione. Si sviluppò invece il movimento moderato, secondo il quale bisognava sostituire le sanguinose ribellioni con un ampio movimento di opinione da sviluppare attraverso iniziative nel settore dell'informazione, della cultura, della scienza, dalle quali emergesse e si sviluppasse lo spirito nazionale del popolo italiano.

Portabandiera del nuovo indirizzo fu l'abate torinese Vincenzo Gioberti, che riassunse le proprie convinzioni in un'opera intitolata *Del Primato morale e civile degli Italiani*. La cultura cattolica del popolo italiano e il secolare legame della penisola all'attività del Papato, spinsero il teologo piemontese ad auspicare il futuro dell'Italia sotto forma di una confederazione tra gli stati esistenti, presieduta dal Papa. Il Gioberti non parlò assolutamente di costituzione in seno agli stati confederati, ma di semplici riforme.

Questa particolare sintesi di patriottismo e religione fu alla base di un'ampia corrente di pensiero detta *neoguelfismo*. Le adesioni furono numerose, specialmente da parte di coloro i quali pur sostenendo l'ideale nazionale italiano non intendevano venir meno alla loro lealtà verso le rispettive dinastie regnanti.

Si scostava in parte dal pensiero giobertiano Cesare Balbo, anch'egli piemontese, nella cui opera, *Le speranze d'Italia*, la confederazione italiana doveva essere presieduta non dal Papa ma dal Re di Sardegna. L'Austria avrebbe dovuto ritirarsi dal Lombardo-

Veneto e mirare a compensi nei Balcani, per svolgere la propria missione cristianizzatrice nei territori che le sarebbero venuti dallo smembramento dell'impero turco, che allora si credeva imminente.

Giacomo Durando in *Della nazionalità italiana* si espresse a favore dell'instaurazione in Italia di tre regni, uno del Nord, con il nome di Piemonte, uno del Centro, denominato Toscana, e le già esistenti Due Sicilie al Sud. Roma e la Sardegna avrebbero dovuto appartenere al Papa.

Ostile al neoguelfismo e a tutto il pensiero moderato fu il neoghibellinismo di Carlo Cattaneo e di Giuseppe Ferrari. Il primo auspicava per l'Italia l'erezione a repubblica federale, composta sì da stati federati, ma sovrana in senso unitario: cosa che non avrebbe previsto la soluzione *confederale* giobertiana, per la quale la sovranità sarebbe stata detenuta unicamente dai singoli stati. Il secondo diede al discorso italiano non solo un significato politico, ma ritenne necessario introdurre in esso numerosi aspetti sociali, che si imponevano man mano che ci si avviava verso il decollo industriale.

Molti fattori economici stimolarono infatti il risorgimento italiano. Il Lombardo-Veneto dimostrava un notevole progresso nell'agricoltura ma anche nell'industria, allora sviluppata quasi esclusivamente nel settore tessile (seta in particolare), rivolta soprattutto al mercato inglese. Ma quando, in seguito alla guerra dell'oppio, l'inghilterra preferì rifornirsi più a buon mercato dalla Cina, per la seta lombarda fu una grave crisi. La lana e gli altri tessuti di produzione lombardo-veneta erano fortemente penalizzati dalla concorrenza dell'entroterra danubiano, così come il settore metallurgico, subiva la concorrenza delle industrie della Carinzia. Le numerose barriere doganali interne rendevano ancor più complicata la vita ai produttori lombardi. Si cominciava già a parlare dell'opportunità di un'unione al Piemonte, che avrebbe immediatamente aperto alla Lombardia l'accesso al vicino porto di Genova, che, proprio in quel periodo, stava riprendendo vigore grazie alla nascita di una solida marina commerciale (compagnia Rubattino), mentre importanti progressi venivano compiuti dall'economia piemontese. Alcune riforme operate da Carlo Alberto permisero allo stato sabaudo di progredire in diversi settori. Furono redatti i nuovi Codici Civile e penale; venne favorita l'istruzione infantile creando nuovi istituti per la formazione degli insegnanti elementari; nuove strade favorirono la comunicazione e persino la Sardegna ebbe dei benefici dalle riforme di Carlo Alberto, il quale fece abolire gli ultimi residui di legislazione feudale ancora in vigore nell'isola.

Libera da leggi protezionistiche e da barriere doganali interne era la Toscana, il cui porto principale, Livorno, ebbe un notevole sviluppo. Tra i contadini e i proprietari terrieri si diffuse il contratto di *mezzadria*, per cui le spese e i benefici derivanti dalla conduzione di un fondo agricolo venivano divisi a metà tra il proprietario e il contadino, al quale spettava la coltivazione dell'intero fondo e il diritto di abitarvi. Per la classe contadina si trattava allora di un importante traguardo.

Diametralmente opposta era la situazione nello Stato Pontificio, dove l'accentramento della proprietà agricola nelle mani del clero e dell'aristocrazia si accompagnava ad una forte miseria del proletariato rurale, mentre l'economia era in perenne ristagno.

Le cose non andavano molto meglio nel più meridionale degli stati italiani. Benché all'inizio vi fossero stati alcuni segni interessanti di animazione nella vita economica del paese, il Regno delle Due Sicilie fu presto logorato da contrasti tra il Napoletano e la Sicilia.

Risulta evidente come la borghesia italiana, nelle realtà più progredite dela penisola, sentisse il bisogno di un mercato nazionale unitario, per favorire il quale erano necessarie nuove strade, mentre nel 1839 entrava in funzione tra Napoli e la vicina località di Portici, la prima linea ferroviaria.

Tutto questo era stato ben compreso dai moderati, che facevano di ciò un importante punto di forza.

Dal biennio delle Riforme al '48

L'elezione a papa, nel giugno del 1847, del cardinale Giovanni Maria Mastai-Ferretti con il nome di Pio IX, segnava l'inizio, per l'Italia, di un periodo di importanti riforme. Disposto ad una maggiore apertura verso i liberali, egli concesse immediatamente un'ampia amnistia per i detenuti politici. Più tardi fu costituita una *Consulta di Stato*, venne istituita la *Guardia Civica*, e venne concessa una limitata libertà di stampa (risultato comunque notevole per quell'epoca).

Dopo un relativo periodo di riflessione, anche il Granduca Leopoldo II di Toscana seguì l'esempio del governo pontificio.

A Torino Carlo Alberto era incerto sulla linea da seguire, ma dovette accettare la nuova realtà e, dopo aver licenziato il ministro filoaustriaco Solaro della Margherita, si decise a rinnovare le proprie istituzioni, riformando il sistema giudiziario e la polizia, concedendo anch'egli una prima dose di libertà di stampa.

L'Austria non gradì l'elezione di Pio IX, e, secondo alcune fonti, solo un ritardo nell'arrivo a Roma del vescovo di Milano, cardinale Gaysruck, impedì a quest'ultimo di notificare in tempo il veto di Vienna contro quell'elezione.

Ma l'Austria andò oltre, avvalendosi di un articolo dei trattati che seguirono al congresso di Vienna del 1815, e che le dava il diritto di occupare militarmente, in caso di pericolo, la cittadella di Ferrara, sebbene questa fosse territorio dello Stato Pontificio. L'occupazione avvenne il 17 luglio del 1847; ma, dato il vertiginoso diffondersi del moto democratico, le truppe austriache non si limitarono alla cittadella, ma, il 13 agosto, esse occuparono l'intera città. La protesta del Papa fu energica e incontrò l'appoggio di Carlo Alberto, che si dichiarò pronto a un intervento militare a fianco di Pio IX. Vistasi seriamente minacciata, l'Austria decise di tornare sui propri passi limitandosi all'occupazione della cittadella.

Il 3 novembre di quello stesso anno vennero firmati gli accordi preliminari tra il Regno di Sardegna, la Toscana e lo Stato Pontificio per la creazione della *Lega Doganale Italiana*, un'unione doganale, concepita sull'esempio di quella già esistente in Germania con il nome di *Zollverein*.

Ben altra aria tirava nel sud della penisola, dove l'ostinazione reazionaria di

Ferdinando II provocò, tra il 1° e il 2 settembre 1847, una violenta ribellione a Reggio Calabria e a Messina, la quale si estese in tutta la Sicilia, così che, il 12 gennaio 1848, in occasione del compleanno del re, la rivoluzione scoppiò a Palermo, capeggiata da Rosolino Pilo e Giuseppe La Masa. Il 24 gennaio si ebbe la fuga del luogotenente generale della Corona per la Sicilia e, due giorni più tardi, venne instaurato un *Governo Provvisorio Siciliano*.

Il moto si propagò ben presto anche nella parte continentale del regno: il 17 gennaio, infatti, una sollevazione si era avuta nel Cilento (tra la Campania e la Calabria). Spaventato dal precipitare degli avvenimenti, Ferdinando II chiese l'intervento militare a Vienna, ma a ciò si oppose il Papa, contrario al passaggio delle truppe austriache nel territorio del proprio stato. Così il sovrano delle Due Sicilie dovette piegarsi alla nuova situazione e, il 29 gennaio, promise la Costituzione, che fu approvata il 10 febbraio e promulgata l'11.

Il 13 aprile il governo provvisorio della Sicilia, presieduto dall'ammiraglio Ruggero Settimo, proclamò l'indipendenza dell'isola da Napoli.

L'11 febbraio fu promessa la costituzione anche da Leopoldo II di Toscana. Il documento fu approvato il giorno 15 e venne reso pubblico il 17.

Anche il Re di Sardegna si mosse in direzione analoga e, l'8 febbraio, promise la Costituzione, che venne approvata il 4 marzo successivo.

Il 14 marzo anche lo Stato Pontificio ebbe la propria Costituzione, sebbene la particolare forma istituzionale del paese imponesse alcune fondamentali differenze tra essa e le costituzioni degli altri stati italiani: per esempio, l'apparato amministrativo laico rimaneva subordinato alla supervisione del Sacro Collegio.

Abbiamo dunque visto come il movimento liberale e riformatore si trasformò in movimento costituzionale, il cui trionfo segnò la fine del vecchio *dispotismo illuminato*, ponendo anche in Italia le basi fondamentali dello stato moderno.

Le perplessità di Carlo Alberto e di Pio IX verso la politica democratico-riformatrice ebbe breve durata, giacché giunse da Parigi la notizia della rivoluzione, scoppiata il 24 febbraio nella capitale francese, terminata con la deposizione di Luigi Filippo e la conseguente fine della *Monarchia di Luglio*.

Gli avvenimenti parigini ebbero un'eco immediata in tutta l'Europa occidentale e centrale. Il 13 marzo Vienna divenne il centro di un vasto moto rivoluzionario che interessò la gran parte delle province asburgiche ed ebbe tra le sue cause fondamentali il problema delle nazionalità soggette all'Austria. Insorse la nobiltà ungherese, mentre Praga fu teatro di numerosi tumulti. Sempre a Praga fu organizzata una conferenza pan-slava, mentre nella classe colta delle province slave a sud dell'impero (Croazia, Slovenia, ecc.) si faceva strada un nuovo movimento, l'*illirismo*, volto a creare una coscienza slava del sud, presupposto per la futura nascita della Jugoslavia.

Naturalmente insorsero anche le province italiane. Venezia conobbe la rivolta il 17 marzo con la liberazione dal carcere di Daniele Manin e di Niccolò Tommaseo. Il 22 gli Austriaci evacuarono la città e venne dichiarata la reinstaurazione dell'antica Repubblica Veneta, presieduta dal Manin.

Lo stesso accadeva a Milano, dove il 18 marzo iniziavano le storiche *Cinque Giornate*, che si conclusero il 23 marzo, anch'esse con l'abbandono della città da parte delle truppe austriache, le quali, comandate dal maresciallo Radetzky, si stabilirono nelle quattro fortezze del così detto *Quadrilatero* (Verona, Mantova, Peschiera e Legnago). Ciò permise al contingente austriaco di sfuggire all'attacco delle forze armate di Carlo Alberto, le quali giunsero a Milano il giorno 26, dopo che da diverse parti erano giunte pressioni molto forti a favore di un vero e proprio intervento militare del Regno di Sardegna in appoggio agli insorti milanesi. Dopo i soliti tentennamenti che caratterizzarono l'intero periodo di regno di Carlo Alberto e che gli valsero il soprannome di *Re Tentenna*, il sovrano piemontese era alla fine sceso in campo, dando inizio a quella che divenne nota come la *prima guerra di indipendenza italiana*.

Analoghe pressioni furono indirizzate verso gli altri sovrani italiani, tanto che la Toscana, lo Stato Pontificio e anche il Regno delle Due Sicilie inviarono in Lombardia un proprio contingente militare. Mazzini aveva sciolto la *Giovine Italia* ed aveva creato l'*Associazione Nazionale Italiana*, il cui primo scopo era quello di raggiungere l'unità e l'indipendenza della penisola: solo dopo si sarebbe pensato all'instaurazione della repubblica.

La posizione assunta dal Mazzini fu significativa, giacché non mancavano i dissapori tra Carlo Alberto, che spesso identificava la campagna del Lombardo-Veneto come una semplice guerra di ingrandimento territoriale del Piemonte (linea politica nota con il nome di *fusionismo*), e la maggior parte dei ribelli, i quali non accettavano affatto che l'essere italiani significasse necessariamente essere piemontesi. Fu un intervento del Mazzini, l'8 aprile a Milano, a dissuadere gli uomini di Carlo Cattaneo dal tentativo di sovvertire il governo provvisorio milanese, da essi giudicato troppo tollerante verso Carlo Alberto. Quando poi, nel mese di maggio, si ebbe notizia dell'arrivo di ingenti rinforzi austriaci, si accettò di assecondare il governo piemontese, che, dato il pericolo, aveva fatto ripetute pressioni sui governi provvisori degli stati insorti perché essi votassero la pura e semplice annessione al Piemonte. Solo Venezia attese il 3 luglio prima di pronunciarsi anch'essa a favore delle pressioni di Torino.

Vedendo che le cose si mettevano male sul piano militare, Il granduca di Toscana, il papa, e il re delle Due Sicilie ordinarono allle proprie truppe di rientrare. Nel frattempo, il 15 maggio, Ferdinando II con un colpo di stato, sciolse gli organi governativi derivanti dalla costituzione del precedente 11 febbraio e abrogò la costituzione stessa.

Guglielmo Pepe, che comandava il contingente di Ferdinando II e Giovanni durando, responsabile delle truppe pontifice, non rientrarono e tentarono di difendere le posizioni conquistate dal contrattacco Austriaco...

Ma ormai gli uomini di Radetzky avevano iniziato la loro controffensiva e avanzavano inesorabilmente verso ovest. Il 9 agosto il Piemonte firmò l'armistizio, che durò sino al 20 marzo del 1849, data della ripresa della guerra. Il 23 marzo 1849, esattamente un anno dopo l'entrata in guerra di Carlo Alberto contro l'Austria, l'esercito sardo subì la disfatta definitiva a Novara e Carlo Alberto, provato da quell'anno di incessante logorio, abdicò in favore del figlio, Vittorio Emanuele II, e morì esule in Portogallo.

Nell'autunno del 1848, mentre nell'Italia settentrionale era in corso l'armistizio tra l'Austria e il Regno di Sardegna, era scoppiata a Roma una rivolta che si era conclusa il 9 febbraio con la proclamazione di una nuova Repubblica Romana, a capo della quale si istituì un triumvirato, ossia un governo a tre, formato da Carlo Armellini, Aurelio Saffi, Giuseppe Mazzini.

Pio IX era intanto fuggito a Gaeta, nelle Due Sicilie.

I fatti di Roma preoccuparono le maggiori potenze, ma soprattutto la Francia, la quale, deposto Luigi Filippo, era diventata una repubblica con a capo un nipote di Napoleone, Luigi Napoleone Bonaparte, salito al potere con il sostegno della borghesia e dei conservatori, entrambi preoccupati per l'indirizzo socialista assunto dagli avvenimenti che avevano posto fine alla monarchia di luglio. Inoltre egli stava organizzando un colpo di stato con l'appoggio degli ambienti clericali; dunque per non perdere quell'appoggio, incaricò il generale Oudinot di condurre un vero e proprio intervento militare per rovesciare la Repubblica Romana, facendo ben intendere che tale atto avrebbe dovuto essere opera e vanto esclusivi della Francia e che gli altri paesi interessati dovevano rimanere semplici osservatori.

Il 24 aprile 1849 Oudinot sbarcò a Civitavecchia e, sottovalutando la possibile resistenza italiana, marciò su Roma; ma, a ridosso delle mura cittadine, fu battuto dalle truppe repubblicane, guidate da un personaggio destinato ad un ruolo fondamentale nelle future azioni militari per l'indipendenza nazionale, Giuseppe Garibaldi.

Di fronte all'accaduto, Parigi incaricò il plenipotenziario Ferdinand de Lesseps di avviare una trattativa con i vincitori in attesa di fatti nuovi.

Il 7 maggio truppe austriache occuparono Bologna e, il 15, giunsero ad Ancona. Da Napoli si mosse anche Ferdinando II in persona a capo di un discreto contingente militare; ma a Palestrina, presso Roma, e poi a Velletri, le milizie di Garibaldi ebbero ragione di quelle borboniche, che dovettero precipitosamente rientrare a Napoli.

La successiva vittoria dei conservatori alle elezioni francesi permise al nuovo Bonaparte di impartire al generale Oudinot l'ordine di attaccare Roma.

La notte tra il 1° e il 2 giugno le truppe francesi attaccarono a sorpresa e si impadronirono del Gianicolo, (colle allora alla periferia di Roma, di estrema importanza strategica). La città era così sotto il tiro dei cannoni francesi e dopo un mese di strenua resistenza dovette capitolare.

Venezia non ebbe sorte migliore. Dopo un ultimo tentativo di reinstaurare l'antica repubblica, fu impegnata in una lunga e logorante resistenza contro le truppe austriache. A dar man forte ai Veneziani accorsero volontari da tutta Italia: tra loro anche Guglielmo Pepe e Giovanni Durando, che, durante il conflitto, non avevano risposto all'ordine dei loro governi di abbandonare il campo.

In preda ad un'epidemia di colera, Venezia dovette alla fine arrendersi. Le autorità austriache, forse coscienti che quella vittoria non avrebbe comunque cambiato a loro favore l'ormai mutato corso della storia, al centro del quale non c'erano più le dinastie ma le nazioni, furono particolarmente clementi verso gli sconfitti, ai quali fu concesso l'onore delle armi, mentre a Daniele Manin, a Niccolò Tommaseo e agli altri responsabili dell'avventura antiasburgica fu permesso di partire indisturbati per l'esilio.

La situazione dopo la I guerra d'indipendenza

Verso l'unità d'Italia

Il periodo che seguì la prima guerra di indipendenza fu un periodo di forti repressioni in quasi tutti gli stati italiani. Persino l'Austria, nel Lombardo-Veneto, adottò misure insolite nel comportamento di Vienna verso chi si ribellava alle sue istituzioni. Furono scoperte delle congiure nella zona di Milano e di Mantova, mentre i loro responsabili furono condannati a morte e regolarmente giustiziati.

Solo l'invio nel 1857 quale viceré del Lombardo-Veneto dell'arciduca Massimiliano, fratello dell'imperatore d'Austria, Francesco Giuseppe, rese l'atmosfera più tranquilla, tanto che lo stesso Mazzini, conoscendo le buone intenzioni del nuovo arrivato, rivolse maggiormente le proprie energie verso le vicende delle Due Sicilie, dove numerosi dissidenti erano finiti nel carcere dell'isola di Ponza.

Il 17 dicembre 1856 Ferdinando II scampò ad un attentato, mentre il 12 gennaio 1857, scoppiò a Palermo una nuova rivolta, guidata da Francesco Bentivegna. Ma, sia per quest'ultimo che per Agesilao Milano, che aveva attentato alla vita del re, ci fu la cattura e l'esecuzione capitale.

Un manipolo di ribelli, guidati da Carlo Pisacane, si impossessò di un piroscafo e, raggiunta l'Isola di Ponza, riuscì a liberare 300 detenuti politici. Sbarcata sulla terraferma presso Sapri, la compagnia tentò un'avanzata nell'interno, ma venne presto decimata dalle truppe borboniche a Sala Consilina e a Sanza, dove morì lo stesso Pisacane. All'azione dei soldati di Ferdinando II si aggiunsero i contadini, timorosi che si trattasse di semplici briganti. Nella stessa Toscana si respirò a lungo aria di repressione. Lo Stato Pontificio ritornò agli schemi reazionari precedenti l'ascesa al pontificato di Pio IX.

Solo il Regno di Sardegna mantenne il regime costituzionale. Qui trovarono rifugio moltissimi tra coloro che avevano preso parte ai moti del '48, il cui fallimento aveva provocato una nuova crisi del movimento mazziniano, mentre il posto della "Giovine Italia" fu assunto dalla *Società Nazionale*, espressione di coloro che guardavano al Re di Sardegna, Vittorio Emanuele II, come al possibile artefice dell'unità d'Italia.

Malgrado la sua indole spiccatamente conservatrice, il Nuovo sovrano era cosciente dei tempi che cambiavano e, dopo un breve periodo di governo presieduto dal reazionario savoiardo De Launay, già nel maggio del 1849, il re affidò la presidenza del Consiglio dei Ministri al liberale Massimo D'Azeglio.

L'inizio del nuovo governo fu quanto mai burrascoso. Vittorio Emanuele aveva già ratificato il trattato di pace con l'Austria, ma il Parlamento non approvò la ratifica, rischiando di provocare una grave crisi internazionale. Per evitare il peggio il re decretò lo scioglimento delle camere (la Camera dei Deputati e il Senato) e indisse nuove elezioni. Il nuovo parlamento approvò il trattato con l'Austria e il D'Azeglio poté avviare una serie di riforme, specialmente nei rapporti tra Stato e Chiesa. Fu approvata la legge Siccardi (dal nome del suo promotore), la quale abolì anche in Piemonte l'antico diritto di non essere arrestato per chi si rifugiava in un luogo sacro.

Nel 1852 divenne presidente del Consiglio il liberale conservatore conte Camillo Benso di Cavour. Ministro dell'agricoltura dal 1850, nel governo D'Azeglio, era poi passato al ministero delle finanze. In seguito ad un accordo con le forze più progressiste guidate da Urbano Guerrazzi, il Cavour poté dare al proprio governo un indirizzo chiaramente liberale. Fu anch'egli particolarmente sensibile ai rapporti con il clero e, a questo proposito, un suo progetto di legge, che prevedeva la soppressione di alcuni ordini religiosi e l'incameramento dei loro beni da parte dello Stato, fece scoppiare, nel 1855, una violenta crisi nei rapporti tra il clero e le istituzioni dello Stato. Il fatto passò alla storia come *crisi Calabiana*, dal nome del Vescovo di Casale – monsignor Nazari di Calabiana – che si fece portavoce delle posizioni ecclesiastiche. La vicenda scatenò una violenta reazione delle forze clericali e rese impopolare il Cavour, tanto che Vittorio Emanuele dovette invitarlo a rassegnare le dimissioni. Ben presto, però, la mancanza di un valido sostituto, indusse il re a richiamare il presidente del Consiglio uscente a rioccupare il proprio posto.

La crisi scoppiata in quello stesso periodo in Oriente e l'invito della Francia e della Gran Bretagna al Piemonte ad inviare un proprio contingente di truppe in difesa della Turchia contro la Russia, fece sperare al Cavour in un'occasione per sconfiggere l'Austria, sicuro che essa sarebbe accorsa in aiuto allo Zar. Al contrario, Vienna si affiancò agli alleati occidentali e ciò preoccupò notevolmente il primo ministro piemontese, la cui intenzione non era certo quella di mandare i propri soldati a fianco di quelli austriaci.

All'ultimo momento, l'Austria, pur rimanendo feddele ai nuovi alleati, non inviò il proprio contingente in Crimea, dove era scoppiata la guerra; il che fece decidere al Piemonte l'invio di alcune proprie formazioni militari, le quali avrebbero così avuto un ruolo maggiore negli sviluppi delle operazioni.

La vittoria alleata e il valore dimostrato dalle truppe sabaude, guidate dal Generale Alfonso La Marmora, permise al Cavour di ottenere che, nella successiva conferenza di Parigi del 1856, venisse convocata una seduta straordinaria per discutere anche della questione italiana e delle sue possibili soluzioni.

Iniziava così l'opera diplomatica del Cavour per ottenere l'appoggio di una delle potenze occidentali ai propri piani di ingrandimento territoriale. Conoscendo il passato carbonaro di Napoleone III, non esitò a rivolgersi a Parigi. L'attentato allo stesso re di Francia ad opera di un ex-mazziniano, Felice Orsini, stava per far fallire l'intera trattativa. Ma a Napoleone III, che invitava il primo ministro piemontese ad adottare misure più repressive contro i mazziniani, Cavour replicò che si sarebbe sventato il pericolo di nuovi atti terroristici solo risolvendo la questione italiana. Ciò convinse Napoleone III il quale incontrò il Cavour il 21-22 luglio 1858 a Plombières, ove si posero le basi dell'accordo franco-piemontese, in base al quale la Francia avrebbe accordato il proprio appoggio militare al Piemonte e, in caso di vittoria con conseguente allontanamento dell'Austria dal Lombardo-veneto, in Italia si sarebbe costituita una confederazione di tre regni: uno al nord, sotto casa Savoia, uno al centro, sotto il fratello di Napoleone III, Gerolamo Bonaparte, che avrebbe sposato la principessa Clotilde, figlia di Vittorio Emanuele II; infine l'Italia meridionale avrebbe costituito un terzo regno sotto Luciano Murat. In cambio di tutto ciò la Francia avrebbe ottenuto la Savoia e fors'anche la contea di Nizza.

In conseguenza a tale accordo, il Piemonte procedette immediatamente al riarmo, e ciò incontrò le rimostranze da parte dell'Austria, la quale, il 23 aprile 1859, inviò a Torino un ultimatum, minacciando l'attacco. L'ultimatum fu respinto dal governo sabaudo e, il 29 aprile, truppe austriache entrarono in territorio sardo. Era quello che il Cavour auspicava, giacché non intendeva essere dalla parte dell'aggressore, ma dell'aggredito. Iniziava la *seconda guerra di indipendenza italiana*.

I Francesi intervennero puntualmente e le operazioni furono un susseguirsi di sconfitte per l'Austria (battaglie di Palestro, Magenta, ecc.).

L'8 giugno Vittorio Emanuele II e Napoleone III entrarono a Milano, mentre l'imperatore Francesco Giuseppe destituiva il generale Giulay a capo delle truppe austriache, ed assumeva di persona il comando delle operazioni. Ma le cose non migliorarono per l'*aquila bicipite* (l'aquila a due teste, simbolo dell'Austria). Le truppe franco piemontesi avanzarono su tutta la Lombardia (battaglie di Solferino e di San Martino) e nel Veneto, mentre amcune unità della marina Sarda bloccavano il porto di Venezia. Nel frattempo era tornato sulla scena militare Garibaldi, ora a capo di un corpo di volontari, i *Cacciatori delle Alpi*, aggregato all'esercito regolare sardo. Con una serie di fortunate azioni, i garibaldini erano riusciti ad occupare tutte le prealpi lombarde, con le città di Bergamo e di Brescia.

Improvvisamente, il 6 luglio, Napoleone III impose l'armistizio a Villafranca, presso Verona. L'atto fu firmato personalmente dai due imperatori e divenne operativo due giorni più tardi. L'11 luglio, si giunse ai preliminari di pace: l'Austria avrebbe ceduto al Piemonte la Lombardia tranne Mantova, quindi si sarebbe costituita una lega tra tutti gli stati italiani con a capo il Papa. Nella lega sarebbe entrata anche Venezia, governata in regime di semi-autonomia e con a capo un arciduca austriaco.

Se per il Cavour la decisione francese suonò come un tradimento, ciò non sembrò essere per Napoleone III, il quale temeva un improvviso intervento russo a fianco dell'Austria; inoltre, da qualche tempo, una serie di mobilitazioni militari nella Confederazione Germanica (che era presieduta dall'Imperatore d'Austria) e, successivamente, in Prussia, avevano fatto temere all'Imperatore dei Francesi un possibile attacco alla Francia lungo la frontiera del Reno.

Ma la ragione primaria della defezione francese fu un'altra.

Lo stesso giorno dell'entrata in guerra del Piemonte una rivolta era scoppiata in Toscana; il granduca era fuggito e si era instaurato un governo provvisorio presieduto da Bettino Ricasoli, detto il *Barone di ferro*. Dopo la battaglia di Magenta del 4 giugno 1859, il fenomeno si estese anche nei ducati di Parma e di Modena. Un governo provvisorio era sorto anche a Bologna e lo presiedeva il Cipriani. Finita la guerra si riprospettava l'incubo di veder reinstaurare i vecchi governi, come era già accaduto l'indomani del precedente conflitto. Ma questa volta le cose andarono diversamente. I quattro governi provvisori di Firenze, Bologna, Modena e Parma, decisero di costituire un'unica forza armata e, parallelamente, chiesero in blocco l'annessione dei quattro territori in questione al Regno di Sardegna. L'Italia non era dunque più quella che pensava e sperava Parigi, disposta a giocare sempre un ruolo di second'ordine all'ombra delle grandi potenze e, soprattutto, della Francia: essa era sempre più una nazione cosciente dei propri diritti, primo tra tutti quello dell'unità e dell'indipendenza. Le annessioni nell'Italia centrale, non previste a Plombières, erano ormai un evento irreversibile che bisognava accettare se non si voleva che la situazione italiana degenerasse. Appoggiare il Piemonte nella conquista del Veneto sarebbe significato per Napoleone III permettere l'esistenza, alla frontiera sud-orientale della Francia, di un forte regno, fors'anche in antagonismo con Parigi e magari appoggiato dall'Inghilterra.

Favorevole all'armistizio di Villafranca era stato anche Vittorio Emanuele, il quale, da un lato, temeva che l'eccessivo estendersi della campagna potesse essere prima o poi fatale, per un'improvvisa controffensiva austriaca, dall'altro, temeva che un pieno successo dell'impresa giovasse troppo al prestigio del suo primo ministro, a scapito del proprio.

Deluso, Cavour rientrò a Torino e, il 13 luglio lasciò la presidenza del Consiglio.

Ma se a Villafranca l'Imperatore dei Francesi aveva sperato ancora nel ritorno delle vecchie dinastie nell'Italia centrale, a costo di rinunciare ai compensi territoriali della Savoia e di Nizza, a Zurigo, dove, il 10 novembre del 1860, fu firmato il trattato di pace, non gli restò che riconoscere le annessioni a sud del Po e vedersi così assegnare Nizza e la Savoia quale definitivo compenso.

L'espansione piemontese dopo la II guerra d'indipendenza e le annessioni della Toscana e dell'Emilia

Vittorio Emanuele re d'Italia

Mentre in Lombardia era in corso la guerra, il 22 maggio 1859, moriva a Napoli Ferdinando II e gli succedeva il Figlio Francesco II.

Ma, già il 4 giugno seguente, scoppiò una nuova rivolta a Palermo, che le forze armate borboniche non riuscirono del tutto a reprimere, giacché i rivoltosi riuscirono a fuggire nell'interno provocando qua e là continui focolai di tensione in gran parte della Sicilia. Nel frattempo la Società Nazionale, sviluppatasi in Piemonte l'indomani della prima guerra di indipendenza, aveva ceduto il proprio ruolo al Partito d'Azione, nel quale erano confluiti molti tra coloro che, scontenti dei fatti di Villafranca e della cessione di Nizza e della Savoia alla Francia, si erano allontanati dalle posizioni di Casa Savoia e del Cavour. Primo tra tutti era Giuseppe Garibaldi, il quale non si era rassegnato di veder diventare francese la nativa Nizza. Questi, sentendo che il momento era favorevole, decise di organizzare, con il tacito (non ufficiale) consenso di Torino, una spedizione nell'Italia meridionale.

Radunati circa mille uomini, la spedizione, nota come *Spedizione dei Mille*, partì la notte tra il 5 e il 6 maggio 1860 con due piroscafi e l'11, sbarcò in Sicilia, a Marsala.

Dopo un'importante vittoria a Calatafimi, il 6 Giugno i Garibaldini giunsero a Palermo, ove vi fu una sanguinosa battaglia, nella quale perse la vita, tra gli altri, Rosolino Pilo, artefice dell'insurrezione palermitana del '48. Alla fine la guarnigione borbonica capitolò, mentre veniva istituito il governo provvisorio, animato principalmente da Francesco Crispi, futuro uomo politico dell'Italia unita.

L'avanzata di Garibaldi proseguì nell'isola verso est. A Milazzo ci fu un'ultima strenua resistenza dei soldati di Francesco II, che si concluse il 20 giugno con la loro sconfitta.

Preoccupato da ciò che stava accadendo, il re delle Due Sicilie decise di ripristinare la costituzione del 1848, che il padre di lui aveva abrogato e chiamò alla carica di primo ministro il liberale Liborio Romano, con il proposito di iniziare delle trattative col Regno di Sardegna per una soluzione federalista del problema italiano. Tutto fu vano. Il 20 agosto Garibaldi sbarcò in Calabria e di lì puntò su Napoli. Vi arrivò da trionfatore il 7 settembre, mentre il giorno prima Francesco II aveva abbandonato la città per riparare nella fortezza di Gaeta.

Timoroso che il successo di Garibaldi nell'Italia meridionale fosse l'inizio di un vasto moto repubblicano che, data la ferma intenzione dell'*eroe dei due mondi* (così viene designato Garibaldi, per le sue imprese in Europa e in Sud-America) di approdare a Roma, si sarebbe sviluppato anche in tutta l'Italia centrale, togliendo al Piemonte il ruolo di primo garante e artefice dell'Unità del paese, il Cavour, tornato alla presidenza del Consiglio dei Ministri il 21 gennaio 1860, decise di intervenire nel Napoletano. Alle perplessità d i Napoleone III disse che si trattava di impedire che Roma cadesse in mano ai mazziniani. Vi era poi il timore di un intervento di altre potenze straniere, cosa che avrebbe reso la situazione davvero precaria. Sul finire dell'estate del 1860, un contingente militare sabaudo partì per il sud dell'Italia. Il 18 settembre i Piemontesi sconfissero le truppe pontifice a Castelfidardo, presso Ancona. Entrati nel territorio dell'ormai inesistente Regno delle Due Sicilie, i soldati di Vittorio Emanuele II giunsero a Capua, dove i borbonici tentarono un'ultima riscossa contro i Garibaldini lungo il fiume Volturno. Ma l'arrivo del contingente sardo pose fine a quel tentativo.

Il 26 ottobre Garibaldi incontrò a Teano Vittorio Emanuele II, al quale consegnò formalmente il territorio appena conquistato, salutando il sovrano come il *Re d'Italia*.

Il 18 febbraio 1861, si riunì a Torino il Parlamento per dar vita alla legge in virtù della quale, il 17 marzo successivo, Vittorio Emanuele II fu ufficialmente investito della carica di *Re d'Italia*.

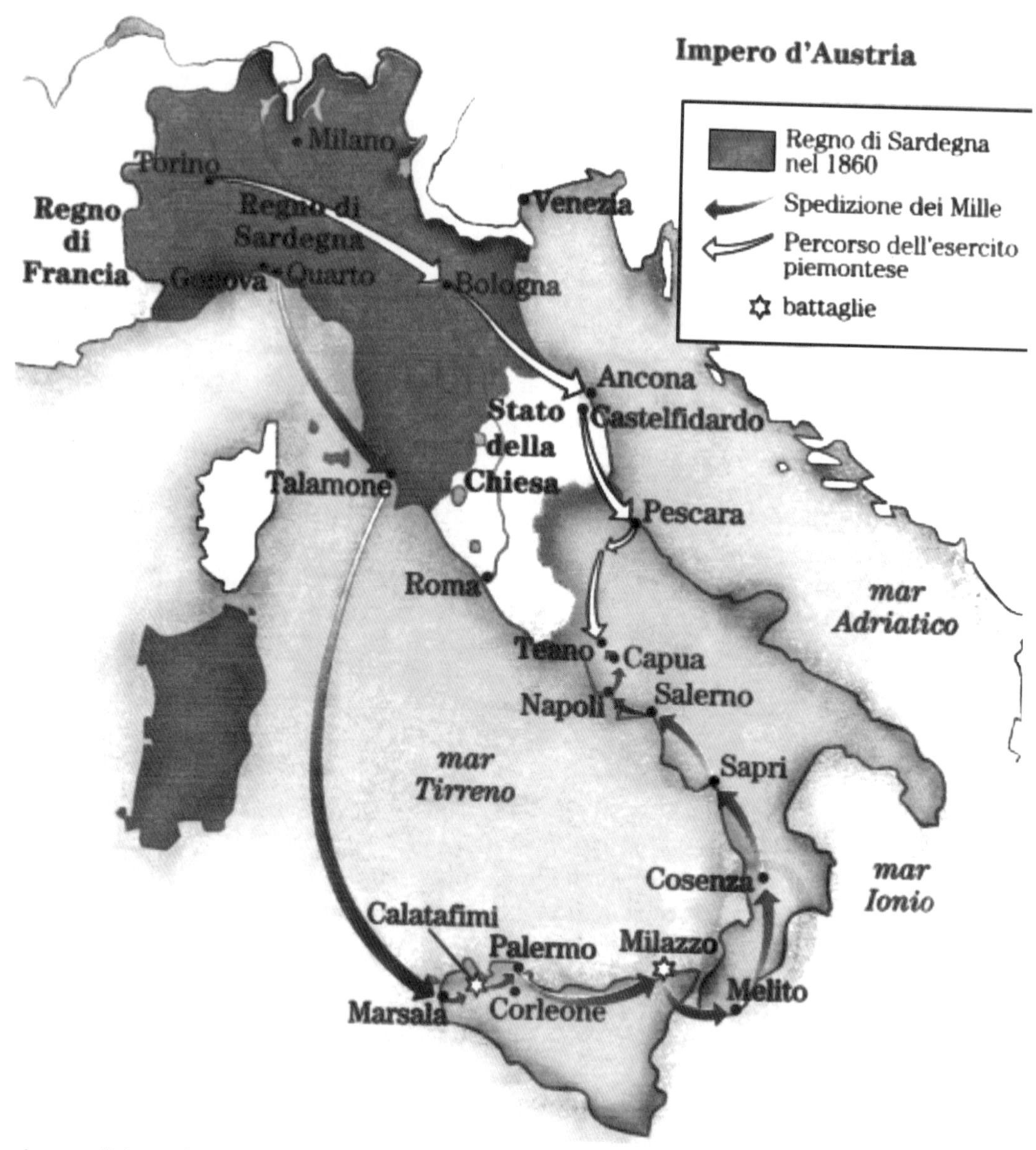

La spedizione dei Mille e la contemporanea avanzata dell'esercito piemontese

Il fascino di Roma

Il 6 giugno 1861 moriva il Cavour, lasciando ai suoi successori numerose questioni non risolte. Tra queste vi era il problema dell'unificazione legislativa del paese e del suo ordinamento amministrativo, sebbene il Cavour avesse previsto la necessità di decentrare alcune funzioni amministrative a livello regionale, dando alle regioni stesse anche un certo potere legislativo. La situazione dell'Italia meridionale non era certo quella dell'Italia del nord e della Toscana, conseguenza delle passate amministrazioni. Era sempre vivo il desiderio di annettere il Veneto, mentre una legge del 27 marzo 1861 aveva solennemente proclamato Roma *capitale d'Italia*, sebbene essa appartenesse ancora allo Stato Pontificio, ormai ridotto al minimo. Si trattasse di un atto puramente simbolico o del contrario, sta di fatto che l'idea di Roma capitale del regno era ormai un'idea fissa nella mente dei ben pensanti, primo tra i quali lo stesso Vittorio Emanuele II. Quanto ai rapporti con la Chiesa, il Cavour aveva pensato a una Chiesa e ad uno Stato tra loro indipendenti: "Libera Chiesa in libero Stato". Ora toccava ad altri proseguire e il conpito di presidente del Consiglio fu assunto dal toscano Bettino Ricasoli, il quale confermò largamente il proprio appellativo di *Barone di Ferro*. Egli condusse una spietata repressione contro i briganti che infestavano il territorio dell'ex-regno delle Due Sicilie, tanto che il fenomeno del brigantaggio fu in breve tempo ridotto al minimo.

Timoroso che la più piccola differenza in campo amministrativo tra le varie parti del regno ne ponessero in pericolo la tanto sudata unità, Ricasoli uniformò l'amministrazione locale di tutto il paese secondo quello del Piemonte, dando così vita ad un sistema amministrativo fortemente centralizzato.

Ora, sequest'ultimo provvedimento poteva non essere motivo di forti traumi in territori reduci da realtà amministrative precarie, lo stesso non poteva dirsi per regioni come la Toscana e la Lombardia, ove era esistita un'amministrazione, per certi versi, esemplare, spesso in antitesi con l'indirizzo strettamente politico dei rispettivi regimi. Il sistema amministrativo piemontese, sebbene ammodernato, era fondamentalmente lento, pieno di pastoie e di intralci burocratici, che divennero ben presto causa di una cronica insofferenza dei cittadini verso lo Stato (senza che per questo si trattasse di atteggiamenti antinazionali).

Al Ricasoli successe, nel 1862, Urbano Rattazzi, il quale appoggiò fortemente il Partito d'Azione di Garibaldi. Ma, quando, nel giugno del 1862, quest'ultimo organizzò una spedizione in Sicilia per raccogliere volontari e poi risalire alla volta di Roma, giunto il 29 agosto sull'altipiano dell'Aspromonte (estrema punta della Calabria), egli si trovò di fronte alcuni reparti dell'esercito regolare, inviati dal governo di Torino, su pressioni francesi, per fermare l'avanzata.

Mentre i garibaldini ricevevano dal proprio capo l'ordine di non sparare, così non fu dalla parte dei regolari e, nello scontro a fuoco che ne seguì, rimase ferito lo stesso Garibaldi, mentre alcuni soldati regolari, i quali erano passati dalla parte dei garibaldini furono fucilati come disertori.

L'episodio di Aspromonte segnò profondamente la vita politica del momento, causando le dimissioni dello stesso Rattazzi.

A questi successe il Minghetti, il quale tentò di risolvere la spinosa *questione romana* attraverso la così detta *convenzione di settembre*, firmata con Napoleone III il 15 settembre 1864, e che prevedeva il ritiro del contingente militare francese da Roma in cambio della rinuncia italiana ad annettere la città.

Nel giugno del 1865 divenne capitale d'Italia Firenze. La decisione fu causa di violenti tumulti a Torino, disposta a rinunziare al proprio ruolo solo a favore dell'*Urbe*, ossia di Roma. Ad ogni modo, la Francia ritirò immediatamente i propri soldati dalle sponde del Tevere, interpretando il trasferimento della capitale d'Italia a Firenze come un atto di definitiva rinuncia a Roma, mentre da parte italiana Firenze era solo una tappa.

L'anno seguente, una formale richiesta prussiana all'Italia di alleanza contro l'Austria offrì al giovane regno l'occasione di tentare l'annessione del Veneto.

Era la terza guerra di indipendenza italiana. Ma i forti disaccordi che regnavano ai vertici dello stato maggiore italiano causarono il fallimento dell'impresa. Gli Austriaci sconfissero senza troppe difficoltà le truppe italiane, mentre la marina subiva una tremenda disfatta al largo dell'isola dalmata di Lissa (*Vis* in croato), dove fu affondata anche la nave ammiraglia. Inevitabile, a quel punto, la crisi ai massimi vertici delle forze armate, mentre a risollevare in parte le sorti della guerra era nuovamente Garibaldi che, assieme al generale Medici, riusciva a battere gli Austriaci in Trentino. Ma la sconfitta definitiva per l'Austria giungeva a Sadova ad opera della Prussia, la cui vittoria permise all'Italia, in quanto alleata, di annettere il Veneto e quasi tutto il Friuli. La sconfitta con la Prussia non mancò di avere importanti risvolti nella politica interna dell'Austria, la quale ritenne giunto il momento di procedere ad un nuovo assetto interno mediante una riconciliazione con l'Ungheria, la cui sollevazione del 1848-'49 era stata brutalmente repressa con l'aiuto dei Russi. L'Ungheria divenne così nel 1867 il secondo membro *inter pares* di una confederazione di stati, l'Austria-Ungheria, che si manteneva unita grazie alla persona dell'imperatore e ad alcuni settori tenuti internazionalmente in comune come la politica estera, le finanze e l'esercito.

Nell'autunno del 1867 Garibaldi tentò nuovamente di conquistare Roma, dove, il 22 ottobre, ci fu un tentativo di insurrezione, iniziato con un barile pieno di esplosivo fatto saltare in una caserma cittadina. L'episodio provocò un'intensa mobilitazione delle truppe pontifice che, in breve tempo, ebbero la città sotto il loro pieno controllo; cosicché, quando giunsero i garibaldini per dare man forte agli insorti, furono respinti.

Qualche giorno più tardi, Garibaldi ritentò l'incursione su Roma, ma, il 3 novembre, proprio quando la battaglia sembrava ormai vinta, fu sopraffatto con i suoi uomini a Mentana da un corpo militare francese inviato all'ultimo momento in aiuto al Papa da Napoleone III.

L'epilogo della vicenda romana era soltanto rinviato di tre anni, giacché il crollo del Secondo Impero, in seguito alla guerra con la Prussia, fu visto dall'Italia come pretesto per non ritenere più operativa la Convenzione di Settembre, firmata con il deposto imperatore, e muovere definitivamente su Roma.

Il 20 settembre 1870 le truppe del generale La Marmora giunsero sotto le mura della città e, aperta una breccia nei pressi di Porta Pia, occuparono l'Urbe, che, l'anno seguente, divenne capitale del regno.

I rapporti con il Papa vennero regolati dallo Stato italiano mediante la così detta *Legge delle Guarentige*, la quale, basata sul principio cavouriano della *libera Chiesa in libero Stato*, garantiva al pontefice la massima libertà nell'esercizio della propria funzione di capo della chiesa cattolica. Inoltre la legge riconosceva l'extraterritorialità, ossia la non appartenenza al territorio italiano, della Città Leonina (la futura Città del Vaticano), del Laterano e della residenza pontificia di Castel Gandolfo.

Tuttavia la legge non fu riconosciuta dal Papa e continuò ad essere osservata unilateralmente dallo stato italiano.

Dovevano passare ancora alcuni decenni prima che, dimenticato l'episodio di Porta Pia, si potesse giungere alla definitiva soluzione della questione romana e al riconoscimento formale della situazione di fatto da parte del Papa.

L'annessione del Veneto dopo la III guerra d'indipendenza

Dalla presa di Roma alla morte di Umberto I

La conquista di Roma coincise con la fine del periodo eroico del *Risorgimento*, per la scomparsa, tra l'altro, di alcuni tra i suoi uomini più illustri.

Il 10 marzo 1872 moriva a Pisa Giuseppe Mazzini, il 9 gennaio 1878 Vittorio Emanuele II e il 2 giugno 1882, Garibaldi.

Una profonda crisi psicologica si abbattè, dunque, sugli ambienti politici, ora che, dalle glorie sul campo di battaglia, si passava a problemi ben più concreti e quotidiani (miseria tra i contadini, sottosviluppo delle regioni meridionali, alle quali si aggiunse ben presto una forte emigrazione specie verso le Americhe). Si ebbe così la crisi della *destra*, ossia dell'ala conservatrice del parlamento. Essa era composta soprattutto dai proprietari terrieri, mentre il paese iniziava anch'esso un lento processo di industrializzazione, e la sinistra rappresentava proprio la nascente borghesia industriale, di vedute più progressiste. Con le elezioni del 1876 la sinistra ebbe la maggioranza in parlamento e, per conseguenza, la guida del goverrno.

Condotta da uomini quali Agostino Depretis e Benedetto Cairoli, la nuova linea politica fu caratterizzata da importanti provvedimenti quali la legge "Coppino" del 1879, che decretò l'obbligatorietà dell'istruzione scolastica elementare, la riforma fiscale del 1880 e quella elettorale del 1882, che elevò il numero degli elettori da 600 mila a due milioni (si era ben lontani dall'idea di elezioni a suffragio universale).

La situazione interna dell'Italia ebbe notevole influenza sulla politica estera della sinistra. Il timore che Parigi potesse in futuro manovrare a favore della reinstaurazione dello Stato Pontificio, nonché la necessità di uscire dall'isolamento diplomatico, spinsero Roma a firmare la *Triplice Alleanza* (alleanza a tre) con l'Austria-Ungheria e la Germania. Questa fu rinnovata nel 1887 con l'aggiunta di due trattati supplementari (rispettivamente tra Italia ed Austria-Ungheria e tra Italia e Germania), concernenti particolari garanzie di protezione a vantaggio dell'Italia in caso di un attacco Francese. Inoltre Vienna e Roma convennero che l'occupazione o l'annessione di territori ad opera di una delle due parti sarebbe stata subordinata all'approvazione dell'altra, la quale aveva facoltà di chiedere anche dei compensi in materia di confini.

Nello stesso periodo ebbe pure inizio da parte italiana una politica coloniale, il cui primo risultato, sebbene dopo errori e temporanei insuccessi dovuti all'inesperienza del giovane regno, fu la colonia africana dell'Eritrea, alla quale si aggiunse presto il protettorato italiano sui due sultanati dei Migiurtini e di Obbia, primo nucleo della futura Somalia italiana

Morto il Depretis, dopo essere stato per due volte a capo del Governo, dal 1887 al 1891 fu presidente del Consiglio Francesco Crispi. Questi migliorò la legislazione penale mediante l'approvazione del nuovo codice "Zanardelli". Tentò di giungere ad un accordo con i cattolici, ai quali la Santa Sede aveva disposto di non partecipare alla vita politica dello stato italiano, quale misura di ritorsione per i fatti di Porta Pia. Pio IX era morto il 9 febbraio del 1878, meno di un mese più tardi dalla scomparsa del primo re d'Italia. Ora al soglio di Pietro stava Leone XIII, che, nella sua enciclica *Rerum Novarum* aveva indirizzato la Chiesa cattolica ad occuparsi com maggior attenzione dei problemi sociali che la nuova realtà poneva. Ma l'accordo auspicato da Crispi non ebbe buon esito e, per tutta reazione, egli assunse un aperto atteggiamento anti-clericale. Si servì spesso della polizia per reprimere le prime manifestazioni operaie, la cui voce in parlamento era quella di uomini come Andrea Costa, aderenti all'internazionale socialista, e che, lasciate dietro di sé le teorie anarchiche di Bakunin, erano decisamente passati al marxismo ed erano confluiti in parlamento in seno alla così detta *estrema sinistra*. Si trattava di un'agguerrita minoranza, staccatasi, per i suoi programmi decisamente di avanguardia, dalla sinistra originaria, la quale, malgrado la nuova linea più progressista, continuò a mantenersi su basi saldamente conservatrici. Facevano capo all'estrema sinistra il piccolo ma battagliero partito repubblicano di Giovanni Bovio e Felice Cavallotti, ed il partito radicale, costituitosi nel 1878 sotto la guida dell'ex-mazziniano Agostino Bertani, propugnatore di un vivace programma democratico, che andava dal decentramento amministrativo alle elezioni a suffragio universale, senza però sconfessare l'istituto monarchico. Ma, all'apparire in parlamento dei primi testimoni della fede marxista, sia il partito radicale che quello repubblicano presero anch'essi le distanze da essa, attestandosi su posizioni più moderate.

Complice della linea repressiva del Crispi fu la stessa Corte. Succeduto a Vittorio Emanuele II, il nuovo re, Umberto I, si era spinto su posizioni decisamente autoritariste, appoggiato pure dalla moglie, la regina Margherita. Ciò rientrava in un preciso intento della Corona di aumentare il prestigio della Corte reale, conferendole quasi un ruolo contrapposto agli stessi organi costituzionali e confermando il privilegio già detenuto dal Sovrano di nominare il Ministro degli Esteri e quello delle Forze Armate.

Convinto sostenitore della Triplice Alleanza, Crispi dovette affrontare con sistematiche azioni di polizia il problema degli *irredentisti*, ossia coloro i quali rivendicavano dall'Austria-Ungheria i territori del Trentino e di Trieste, allora noti come terre *irredente*, cioè non ancora unite alla Madre Patria. A ciò si aggiunse una rovinosa guerra doganale con la Francia, mentre ebbe migliore esito l'azione del Crispi in Africa. Nel 1891, l'occupazione del Benadir aumentò la presenza italiana nel Corno d'Africa, mentre il nuovo *negus* di Abissinia, Menelik, firmò con l'Italia il trattato di Uccialli, che consolidò la presenza italiana nella regione e sancì una sorta di protettorato italiano sull'impero abissino.

Intanto, nel 1892 nasceva a Genova il *Partito Socialista dei Lavoratori Italiani* (in futuro *Partito Socialista Italiano*), seguito a ruota dalla nascita della *confederazione Generale del Lavoro* in veste di organizzazione sindacale.

Ma un clamoroso scandalo finanziario costrinse il Crispi a dimettersi. Tuttavia la sua assenza da capo del Governo fu breve, dato che egli riassunse quella carica già nel 1893.

Caratterizzato da una linea politica decisamente reazionaria, il secondo governo Crispi fu assai più burrascoso del primo. Furono repressi i *fasci siciliani* (organizzazioni spontanee delle classi più povere – in particolare contadini – che intendevano testimoniare i propri disagi, la propria cronica miseria), mentre furono ugualmente repressi i moti operai della Lunigiana (estremità nord-occidentale della Toscana). Il Partito Socialista dei Lavoratori Italiani venne dichiarato fuori legge e molti attivisti dell'estrema sinistra finirono in carcere.

Le cose non andarono meglio in Africa, ove, per una discordanza tra il testo italiano e quello in lingua amarica del trattato italo-abissino di Uccialli, Menelik contestò il protettorato italiano sul suo paese e presto si giunse alle armi. Ad Abba Garima, presso Adua, le truppe del negus batterono quelle italiane. Era il 1896.

Crispi dovette nuovamente dimettersi, mentre al suo successore, Di Rudinì, toccò liquidare l'affare abissino con la pace di Addis Abeba, per cui l'Italia conservò le proprie conquiste precedenti al conflitto, ma dovette rinunciare ad ogni forma di protettorato sull'Abissinia.

Sul piano della politica interna Di Rudinì concesse l'amnistia agli attivisti dell'estrema sinistra precedentemente condannati durante il secondo governo Crispi. Tuttavia ciò non significò una svolta in senso liberale della politica governativa, anzi si progettò persino un colpo di stato *legalitario*, cioè in virtù di leggi eccezionali provenienti dal Parlamento. In vista di ciò fu data la presidenza del Consiglio al Generale Luigi Pelloux, mentre la situazione precipitò il 6 e il 7 maggio del 1898, quando una rivolta popolare scoppiò a milano per protestare contro il rincaro del pane. La rivolta fu soffocata nel sangue su ordine del generale Bava-Beccaris. L'azione del generale costò la vita ad un centinaio di persone, tra le quali alcuni bambini. Il fatto suscitò lo sdegno dell'opinione pubblica liberale e democratica del paese, con vasta eco in parlamento dove fu opposto un tenace ostruzionismo alle leggi che avrebbero consentito il colpo di stato legalitario. In quello stesso anno vi furono le elezioni, il cui esito fu nettamente favorevole alle forze democratiche popolari.

Per giunta, Umberto I ebbe l'inopportuna iniziativa di conferire al generale Bava-Beccaris un'onorificienza per il servizio prestato in occasione dei fatti di Milano. Tale atto costò caro al sovrano il quale, il 29 luglio del 1900, venne assassinato da Gaetano Bresci, un anarchico che volle vendicare la morte delle vittime dell'eccidio, punendo colui che ne aveva esaltato l'uccisore.

L'età giolittiana

Morto Umberto I, gli successe il figlio, Vittorio Emanuele III, il quale, vista la sorte toccata al padre per le eccessive tendenze autoritarie, spesso ai margini della legalità, assunse un atteggiamento di stretta osservanza del dettato costituzionale.

Ma i primi tre *lustri* (un lustro equivale a 5 anni) del nuovo secolo passarono alla storia come l'*età giolittiana*, per la comparsa sulla scena politica del piemontese Giovanni Giolitti e per l'intenso operato da lui svolto a favore della crescita politica ed economica dell'Italia.

Nel 1901 egli fu ministro dell'Interno nel governo Zanardelli, ma già nel 1903 divenne capo del Governo, dando inizio ad uno dei periodi più positivi della storia italiana.

Di fronte ai conflitti sociali Giolitti preferì non ricorrere alla repressione poliziesca o militare, come avrebbe voluto la classe padronale più intransigente. L'importante era che non venisse turbato l'ordine pubblico. Per il resto le divergenze tra i padroni e i lavoratori dovevano risolversi mediante regolari trattative, con la mediazione dei *prefetti* (i diretti rappresentanti del governo nelle singole province del regno).

Tale atteggiamento di Giolitti fu dettato sia dalla reale conoscenza e dall'obbiettiva comprensione verso le legittime aspirazioni della classe lavoratrice, ma anche dalla ferma intenzione di inserire il partito socialista nella sfera costituzionale, inducendolo così a lasciare ogni velleità rivoluzionaria. Infatti, tale linea fu condivisa dalla corrente riformista non-rivoluzionaria del partito, guidata da Filippo Turati. Ciò fu favorito anche dal notevole progresso sociale ed economico che il paese conobbe in quegli anni. Si ebbe un sensibile aumento della popolazione, mentre vi fu una forte crescita economica sia nell'industria che nell'agricoltura. Fu varata una serie di nuove leggi sociali e vennero istituiti il Commissariato per l'Emigrazione e il Consiglio superiore del Lavoro. Notevole impulso ebbero pure le opere pubbliche: venne inaugurata la galleria ferroviaria del Sempione, tra l'Italia e la Svizzera, mentre al Sud della penisola iniziarono i lavori per la costruzione dell'Acquedotto Pugliese, un'immensa struttura destinata a prelevare le acque dal fiume Sele e a trasportarle in Puglia, regione notoriamente scarsa di risorse idriche.

Tale momento di prosperità ebbe effetti benefici anche per il bilancio dello Stato; fu infatti in questo periodo che esso raggiunse il pareggio, e la moneta italiana riuscì persino ad essere preferita all'allora potente sterlina britannica nelle contrattazioni internazionali.

Un nuovo corso ebbe anche la politica estera italiana. Contrariamente al Crispi, sostenitore oltranzista della Triplice Alleanza, Giolitti diede ad essa un'interpretazione puramente difensiva, rivendicando il diritto dell'Italia di allacciare liberamente relazioni con altri paesi non firmatari della stessa. In questo quadro rientrarono i nuovi accordi con la Francia per la fine della guerra doganale e per la soluzione della questione tunisina, ove l'Italia lasciava alla Francia il protettorato sulla Tunisia e Parigi concedeva piena libertà di sviluppo alla cospicua popolazione di lingua italiana in quel paese. L'Italia concluse altri accordi con la Gran Bretagna e la Russia, preparandosi così il terreno per assicurarsi il diritto alla futura progettata conquista, sulla sponda nord-africana, della Tripolitania e della Cirenaica a danno dell'ormai decadente impero ottomano.

Ora, anche nell'amministrazione Giolitti non mancarono le *note stonate*, cioè gli aspetti negativi. Primo tra tutti fu l'aggravarsi della situazione nell'Italia meridionale, colpita, nel 1908, da un violento terremoto che distrusse in gran parte le città di Reggio Calabria e Messina. Inoltre v'era la scarsa attenzione ai problemi dell'agricoltura del Sud a tutto favore delle industrie dell'alta Italia, dovuta anche alla scarsa rappresentatività dei parlamentari meridionali, troppo spesso scelti tra coloro che dimostravano la propria adesione alla politica governativa piuttosto che tra quelli che intendevano essere reali portavoce del proprio elettorato.

Ma il periodo giolittiano segnò anche il rientro dei cattolici nella vita politica italiana. Infatti il nuovo pontefice, Pio X, che aveva precedentemente sconfessato come eretico un movimento cattolico di democrazia sociale guidato dal sacerdote Romolo Murri, ritenuto troppo vicino alla filosofia modernista, abbandonò la linea rigida dei suoi due predecessori e, preoccupato per l'avanzata socialista, autorizzò, in occasione delle elezioni politiche del 1904, le prime candidature di cattolici al parlamento romano. Il successo per questi nuovi militanti non si fece attendere ed essi occuparono un cospicuo numero di *seggi* (posti di rappresentanza in Parlamento).

Nel 1911 l'Italia conquistò la Tripolitania e la Cirenaica. Il successivo trattato di pace di Losanna del 1912 riconobbe il possesso italiano delle due colonie, che furono riunite sotto l'unico nome di *Libia*. Fu questo il massimo successo dell'Italia giolittiana.

Altro fatto importante fu, in occasione delle elezioni del 1913, del suffragio universale maschile. Ma era anche l'inizio della crisi dello stato liberale concepito da Giolitti. L'ascesa del nazionalismo, alimentato dai successi dell'impresa libica, spinse lo statista a cercare la collaborazione dei cattolici, allora fortemente conservatori. All'accrescersi della crisi, Giolitti decise di ripetere l'esperienza, precedentemente riuscitagli, di lasciare per un breve periodo la guida del governo ad una persona meno emergente, con il proposito di riassumersi la presidenza del Consiglio di lì a qualche tempo.

Fu con questo preciso intento che, nel marzo del 1914, lo statista si dimise da capo dell'Esecutivo; ma, nel luglio di quello stesso anno lo scoppio della I guerra mondiale rese impossibile un suo immediato ritorno a quella carica, che veniva nel frattempo ricoperta da Antonio Salandra.

La grande guerra e l'Italia

L'assassinio dell'arciduca Francesco Ferdinando d'Asburgo, erede al trono d'Austria, da parte di due cittadini austriaci di origine serba, avvenuto il 28 giugno del 1914, fu la scintilla che fece esplodere le polveri della prima guerra mondiale, nota anche come la *Grande Guerra*. Immediata fu la reazione di Vienna, che inviò a Belgrado un ultimatum, accusando la Serbia di non aver sufficientemente vigilato allo scopo di prevenire la disgrazia. Corse infatti voce che i due terroristi avessero organizzato il complotto durante una loro permanenza nella capitale serba e che più di qualcuno a Belgrado fosse al corrente dei fatti.

La Serbia respinse l'ultimatum, scaduto il quale l'Austria-Ungheria le dichiarò formalmente guerra il 28 dello stesso mese.

Per effetto delle numerose clausole che legavano i vari paesi tra loro in materia di alleanze, il conflitto austro-serbo divenne, nel volgere di quarantott'ore, guerra europea. A fianco della Serbia si schierarono le potenze dell'Intesa (Francia, Gran Bretagna e Russia); l'Austria-Ungheria ebbe al proprio fianco la Germania. L'Italia, anch'essa firmataria della Triplice Alleanza, interpretandone gli scopi puramente difensivi, non accettò di entrare in guerra a fianco dell'Austria-Ungheria, la quale, avendo essa dichiarato formalmente guerra alla Serbia, figurava quale paese aggressore, non in quella di aggredito. Inoltre l'Italia rimproverava all'Austria di non averla informata dell'ultimatum inviato a Belgrado prima che si aprissero le ostilità. Restavano poi i dissapori tra Vienna e Roma sui compensi territoriali, previsti dall'articolo 7 del trattato di alleanza. Nel 1908 l'Austria aveva annesso definitivamente la Bosnia-Erzegovina, dopo un lungo periodo di semplice occupazione, e l'Italia rivendicava, a compenso dell'espansione della duplice monarchia nei Balcani, l'annessione del Trentino e di Trieste.

Oltre tutto, Vienna aveva da tempo preso le difese del traballante Impero Ottomano. L'impresa italiana in Libia fu dunque contraria alla politica dell'Austria, la quale ipotizzò persino un attacco militare al paese alleato. In quello stesso periodo l'Austria avrebbe segretamente chiesto appoggio militare alla Svizzera in vista di un progettato attacco all'Italia per riconquistare l'antico Lombardo-Veneto. Secondo i relativi documenti ritrovati a Vienna alla fine del conflitto mondiale, lo Stato Maggiore elvetico non esitò ad assecondare le richieste di quello asburgico, notoriamente anti-italiano. Da qualche tempo, infatti, Berna era seriamente perplessa sulla lealtà delle popolazioni svizzere di lingua italiana del Canton Ticino e del Grigione italiano, dove si stava sviluppando un movimento per la difesa dell'identità italiana e contro il dichiarato pericolo di germanizzazione di quei territori. Espressione del movimento stesso fu il periodico *l'Adula*, fondato a Bellinzona nel 1912.

Ora, non si sa se il piano austro-svizzero fosse lo stesso che l'Austria intendeva condurre contro l'Italia in opposizione ai fatti di Libia, né se a Roma si venne a conoscenza della cosa. Probabilmente sì,viste le scelte che l'Italia si apprestava a compiere, prima in sede diplomatica, poi sul campo di battaglia.

Al proprio interno l'Italia era dominata dai *neutralisti*, favorevoli alla sua *neutralità*. Essi avevano pure la maggioranza in parlamento. Vi facevano parte i cattolici, i giolittiani, e i socialisti. Ad essi si opponeba la rumorosa minoranza degli *interventisti*, favorevoli all'*intervento* in guerra. Nonostante si trattasse di una minoranza, essi erano un gruppo molto composito. Vi erano i liberali che avevano tra i loro rappresentanti lo stesso Antonio Salandra, i socialisti riformisti con l'ex-mazziniano Leonida Bissolati, i repubblicani, gli irredentisti veri e propri, i nazionalisti, che davano un tono imperialista alla missione italiana e la cui voce era quella del poeta Gabriele D'Annunzio; v'erano infine altre formazioni più estremiste, nelle quali militava un personaggio, di lì a qualche anno, protagonista di un ventennio di storia italiana, Benito Mussolini.

Dopo lunghi mesi di contatti diplomatici sia con l'Intesa che con gli *Imperi Centrali* (così definiti perché situati nell'Europa centrale), cioè la Germania e l'Austria-Ungheria , prevalse la tesi interventista e, il 26 aprile 1915, l'Italia firmò il patto di Londra, in virtù del quale essa entrava in guerra a fianco dell'Intesa e, in caso di vittoria, avrebbe ottenuto il Trentino, l'Alto Adige (noto anche come Sud-Tirolo), Trieste, Gorizia, la penisola dell'Istria e, staccata dal territorio principale, una parte della Dalmazia.

Il 24 maggio 1915 l'Italia entrò formalmente in guerra contro l'Austria-Ungheria. Furono mesi di dure e sanguinose battaglie, che si svolsero, per lo più, lungo il fiume Isonzo, ma con scarsi risultati concreti per le truppe italiane. Nel 1916 Vienna inviò contro il fronte italiano la così detta *Spedizione punitiva*, quale ritorsione verso l'Italia, malgrado tutto sua ex-alleata. Tuttavia la spedizione fu improvvisamente interrotta, giacché un crollo sul fronte orientale ed una conseguente avanzata russa costrinse l'Austria ad inviare buona parte del proprio contingente militare su quel fronte, permettendo così alle truppe italiane di approfittare dell'occasione e di avanzare sino a Gorizia (*Görz* in tedesco), che fu temporaneamente presa il 9 agosto dello stesso anno. Ma una prima rivoluzione in Russia, scoppiata a Pietroburgo tra il 12 ed il 14 marzo 1917, fece crollare il fronte russo a favore degli Imperi Centrali, così che anche l'Austria-Ungheria potè disimpegnare le truppe dal proprio confine orientale ed ammassarle sul fronte italiano. Questa volta vi erano anche truppe tedesche, conseguenza dell'assurda dichiarazione di guerra dell'Italia alla Germania, avvenuta il 25 agosto 1916 ad opera dell'allora capo del governo, Paolo Boselli, noto anti-tedesco.

L'Italia pagò cara quell'incauta decisione, poiché, nell'ottobre del 1917, nella conca di Plezzo (*Bovec* in sloveno), presso Caporetto (*Kobarid*), nell'alta valle dell'Isonzo, avvenne un massiccio crollo delle forze italiane, le quali dovettero ripiegare sino al Piave.

A causa del disastro militare non fu soltanto il nuovo rapporto di forze sul campo, ma in gran parte avevano contribuito ad esso i dissapori che da tempo si erano accresciuti tra gli ufficiali italiani al fronte e gli alti vertici militari, da molti giudicati del tutto incompetenti.

La disfatta di Caporetto significò pertanto un momento duro, ma risanatore per le forze armate del Regno, il cui comandante supremo, gen. Luigi Cadorna, fu sostituito dal generale Armando Diaz, più aperto e disponibile ad un sincero dialogo con le forze impegnate nelle operazioni.

Consolidata la nuova linea difensiva, iniziò una lunga resistenza dei soldati italiani lungo il Piave e sulle Prealpi Venete (Monte Pasubio, altipiano di Asiago, Monte Grappa, Montello ecc.), mentre importanti successi furono riportati dall'Italia sul fronte navale, grazie, soprattutto ai piccoli M.A.S. (Motoscafi anti-sommergibile), veloci e perciò capaci di sfuggire ad eventuali incursioni sottomarine. Furono in tal modo silurate grosse navi della flotta asburgica, quali la "Santo Stefano" e la "Viribus Unitis".

Sul fronte di terra la resistenza italiana continuò per tutto il 1918, mentre negli eserciti degli Imperi centrali si avvertivano già i segni premonitori del cedimento. Sul finire del 1916 era morto, dopo un lungo regno, Francesco Giuseppe e gli era succeduto il nipote, Carlo VII. La Duplice Monarchia era sempre più logorata dagli interni dissidi tra le diverse nazionalità, nonché tra queste ultime e Vienna, sorda alle pressanti richieste provenienti da coloro che volevano salvare la monarchia asburgica dandole una costituzione federale. Questo avvenne soltanto il 18 ottobre con un decreto dell'Imperatore, ma era ormai troppo tardi: si erano infatti già creati governi nazionali indipendenti, come quello cecoslovacco, mentre l'offensiva finale italiana era ormai in corso dal 4 di quel mese.

L'epilogo si ebbe con la battaglia di Vittorio Veneto, che si concluse con la vittoria italiana e, il 3 novembre venne stipulato tra l'ormai disgregato impero austro-ungarico e l'Italia l'armistizio a Villa Giusti, presso Padova, mentre truppe italiane sbarcavano nel porto di Trieste. L'armistizio entrò in vigore il giorno 4, in cui fu formalmente proclamata la vittoria italiana.

Il dopoguerra

Alla conferenza di pace, che ebbe luogo a Parigi nel 1919, la posizione della delegazione italiana, guidata dal presidente del Consiglio, Emanuele Orlando e dal ministro degli Esteri, Sidney Sonnino, fu subito difficile. Il patto di Londra dell'aprile 1915 non aveva previsto la nascita di un nuovo stato, la Jugoslavia, ora presente ai lavori e certamente non disposta a rinunciare alla parte di Dalmazia che le potenze dell'Europa occidentale avevano in precedenza promesso all'Italia, privando il nuovo regno degli Slavi del sud di un buon tratto di costa. Ad aggravare la situazione fu l'atteggiamento del presidente degli Stati Uniti, Wilson, il quale, oltre a non condividere le rivendicazioni territoriali avanzate da Roma, si espresse in tono non sempre corretto nei riguardi della stessa delegazione italiana, appellandosi addirittura direttamente all'opinione pubblica del paese perché sconfessasse i propri rappresentanti a Parigi. A quel punto Orlando si recò a Roma per ottenere dal parlamento conferma della fiducia. Questa fu corale, ad iniziare da Vittorio Emanuele III. Ma l'assenza da Parigi costò cara alla delegazione italiana, dato ché, nel frattempo, era stato firmato il trattato di Versailles con la Germania e le colonie già tedesche erano state distribuite tra le altre potenze vincitrici. Solo nel 1924 l'Italia sarebbe riuscita a farsi assegnare il territorio africano dell'Oltre-Giubba, ad ovest della Somalia italiana e ad essa riunito.

Com'era previsto dal patto di Londra, il trattato di Saint Germain firmato con l'Austria il 10 settembre 1919, assegnò all'Italia il Trentino e l'Alto Adige, Gorizia e Trieste, ma lasciò il problema della frontiera orientale con la Jugoslavia parzialmente irrisolto. Wilson intendeva assegnare al nuovo stato jugoslavo tutta la costa orientale dell'Istria, facendo correre il confine con l'Italia lungo il canale dell'Arsia, a sud-est della stessa penisola istriana, mentre, sin dal 30 ottobre 1918, la città di Fiume (*Rijeka* in croato) aveva espresso la propria volontà di unirsi all'Italia, cosa che non era prevista dal patto di Londra, ma che gli Italiani reclamavano quale compenso per la non più obiettivamente possibile annessione del litorale dalmata. Per giunta, il territorio di Fiume sarebbe risultato fisicamente unito al resto del territorio italiano, mentre, come è stato precisato, ciò non sarebbe accaduto per la Dalmazia.

In Italia si parlò sempre più di "vittoria mutilata" e ciò andò a netto vantaggio dei nazionalisti e di tutti quei partiti che avevano appoggiato ad oltranza l'entrata del paese in guerra. Nel 1919 Benito Mussolini fondò a Milano i *fasci di combattimento*, gruppi di estremisti, spesso di tendenza politica non chiara, ma fondamentalmente antigovernativi ed inclini a una linea anarcoide. Ben presto tali formazioni divennero la forza d'urto degli industriali e dei proprietari terrieri, che in essi e nelle loro scorrerie vedevano un'efficace strumento di difesa contro un sempre più inquieto e recalcitrante proletariato.

A soli due giorni dalla firma del trattato di St. Germain, il 12 settembre 1919, un gruppo di *legionari* con in testa Gabriele D'Annunzio marciò alla volta di Fiume, per reclamarne l'appartenenza all'Italia. Giunti colà, i legionari costituirono un governo provvisorio – la *Reggenza del Carnaro* – con a capo lo stesso D'Annunzio, il quale assunse il titolo di *Comandante*.

Un particolare sostegno all'impresa fiumana venne dalla Svizzera Italiana, dove era sorto il movimento dei Giovani Ticinesi, in aperto contrasto con la politica di Berna, talvolta pervaso da una vena irredentista. Un drappello di legionari ticinesi partì regolarmente con D'Annunzio alla volta di Fiume, mentre, fu stretto collaboratore del Comandante nella città del Carnaro il bellinzonese Adolfo Carmine, personaggio di punta dell'irredentismo nel Canton Ticino.

A Roma, mentre la destra appoggiò pienamente l'impresa di D'Annunzio, netta fu l'opposizione delle sinistre e dei liberali, compreso il presidente del Consiglio, Francesco Saverio Nitti, il quale non ebbe sufficiente energia per imporre la propria autorità sugli artefici del colpo di mano.

Nel giugno 1920 si dimise il governo Nitti e riapparve sulla scena politica, come capo del nuovo governo, Giovanni Giolitti. Aiutato dal ministro degli Esteri, il conte Carlo Sforza, Giolitti svolse un'intensa attività diplomatica. In seguito ad una rivolta in Albania contro l'occupazione italiana che perdurava dal 1916, fu firmato nel luglio 1920, con l'Albania stessa, il trattato di Tirana, in cui l'Italia riconosceva a quel paese l'indipendenza, mantenendo tuttavia, per ragioni strategiche, il possesso dell'isoletta di Saseno. Il 12 novembre venne firmato il trattato di Rapallo con la Jugoslavia, per il quale l'Italia includeva nel proprio territorio l'intera Istria, alcune isole dell'Adriatico (Cherso), Lussino, Pelagosa, Lagosta e, sulla costa dalmata, la città di Zara; Fiume diveniva invece città libera. In conseguenza del trattato, l'esercito italiano dovette intimare ai legionari di D'Annunzio di abbandonare Fiume, cosa che avvenne, non senza incidenti, gli ultimi giorni di dicembre.

La situazione politica dell'Europa dopo la Conferenza di pace di Versailles

Ben più difficile fu per Giolitti la gestione della politica interna.

Nel volgere di un paio di anni, nascevano due importanti formazioni politiche: il *Partito Popolare* (P.P.) ed il *Partito Comunista Italiano* (P.C.I.).

Il Partito Popolare fondato nel 1919 dal sacerdote siciliano don Luigi Sturzo, era il risultato del progressivo ammorbidimento delle posizioni della Santa Sede verso lo Stato italiano. Preoccupato per l'avanzare dell'ideologia marxista, il Papa non poteva che sperare in un rafforzamento dello schieramento cattolico al parlamento del regno. Alle elezioni dello stesso anno il P.P. ottenne 100 seggi.

Com'è facile capire, il Partito Popolare fu la voce di una vasta fascia dell'opinione pubblica nazionale. Esso trovava nelle parrocchie i più saldi puntelli della propria efficiente organizzazione, mentre la sua voce si levava a favore di quella tipica posizione di centro che tanto doveva caratterizzare gran parte del pensiero cattolico in Italia, cioè una visione moderna e dinamica dei problemi del paese, ma saldamente radicata ai valori della civiltà cristiana.

Il Partito Comunista Italiano nacque in occasione del congresso del Partito Socialista tenutosi a Livorno nel 1921 e fu il risultato della separazione da esso dell'ala marxista guidata dall'intellettuale sardo Antonio Gramsci.

Preoccupato per la situazione di evidente instabilità, Giolitti ricorse ad una politica favorevole ai fascisti di Benito Mussolini, consentendo la loro comparsa in parlamento, poiché sperava in una futura confluenza del loro movimento, nel frattempo divenuto partito, nei binari costituzionali. Ma i fatti non andarono come lo statista sperava: si aprì una crisi di governo e Giolitti fu costretto alle dimissioni.

Dopo Giolitti governarono per breve tempo Ivanoe Bonomi e Luigi Facta, un giolittiano privo però della capacità del suo capo-scuola.Forti ormai del crescente appoggio dei nazionalisti e della destra in generale, i parlamentari fascisti, con Mussolini alla testa e con l'appoggio della Corona, riuscirono ad esercitare le opportune pressioni per raggiungere i propri obiettivi. E fu così che, il 28 ottobre 1922, Vittorio Emanuele III incaricò formalmente Mussolini di formare il nuovo governo. L'evento passò alla storia con l'altisonante edesagerata definizione di *marcia su Roma*; era l'inizio dell'èra fascista.

Il ventennio fascista

Il primo gabinetto Mussolini non era formato unicamente da fascisti: non si era infatti trattato formalmente di un colpo di stato, bensì di un regolare incarico del Re a Mussolini di formare il nuovo Consiglio dei Ministri, in seguito alla crisi del precedente governo Facta. Tant'è vero che, per circa un biennio, fino alle successive elezioni del 1924, Mussolini condusse una politica di normalizzazione, la quale incontrò il consenso di gran parte della gente oltre che degli ambienti politici. Tuttavia restarono saldamente contrari i partiti di sinistra. Diversa fu la situazione nelle file liberali e del Partito Popolare, dove si affermò una maggioranza favorevole al fascismo ed una non trascurabile minoranza contraria.

Le elezioni del 1924 scatenarono aspre polemiche sulla loro regolarità. Queste culmi-

on il discorso del socialista Giacomo Matteotti nell'aula del parlamento, in cui il ... accusò i fascisti di aver esercitato pressioni e violenze sull'elettorato per condizionare a proprio favore l'esito dei voti. La reazione di Mussolini, un tempo anch'egli socialista, fu la ferma volontà di sedare la polemica, forse anche nell'intento di avviare una sorta di riconciliazione con i vecchi compagni di partito. Ma il 10 giugno 1924 Matteotti fu rapito e venne trovato morto alcuni giorni dopo.

La reazione delle opposizioni in parlamento fu massiccia e sfociò nell'abbandono dell'attività parlamentare seguito dal loro ritiro sul colle Aventino. Ma la protesta non sortì risultati apprezzabili, dato l'indiscutibile appoggio che il fascismo riceveva da Vittorio Emanuele III.

Il 3 Gennaio 1925, Mussolini pronunciò un discorso alla camera, con il quale egli dava al proprio governo un volto decisamente totalitario. Venne modificato in senso restrittivo lo *Statuto Albertino* (la carta costituzionale del Regno d'Italia), mentre, tra il 1925 e il 1926, vennero sciolti tutti i partiti e gran parte dei loro membri scelse l'esilio. La stampa dovette seguire precise linee di comportamento conforme agli indirizzi del regime.

Una volta giunto al potere, il fascismo lasciò dietro di sé le posizioni anticlericali dei suoi primi militanti, per divenire invece il paladino del sentimento cattolico della maggioranza degli Italiani. Se da una parte Mussolini ed i suoi si opposero con veemenza a molti cattolici che militavano nella vita politica, quali lo stesso don Sturzo, fondatore del Partito Popolare e costretto all'esilio dall'altra parte il regime volle fare della chiesa cattolica italiana, nei suoi organi gerarchici, uno dei maggiori pilastri del sistema. Perciò, gia nel 1924, in occasione della riforma scolastica, nelle aule di lezione riapparve il Crocefisso, massimo simbolo della devozione cattolica. Ma il vero successo di Mussolini in questo particolare settore della politica furono i *Patti Lateranensi*, firmati con la Santa Sede l'11 febbraio 1929, in virtù dei quali fu risolta definitivamente la questione romana, apertasi con l'unione di Roma all'Italia nel 1870.

Il primo di questi patti fu un vero e proprio trattato internazionale, giacché la Santa Sede riconobbe Roma quale capitale del Regno d'Italia, mentre venne creato lo *Stato della Città del Vaticano*, comprendente il territorio racchiuso dalle mura leonine (Vaticano propriamente detto), il Laterano e la villa papale di Castel Gandolfo, presso Roma. Si trattò della nascita di un vero e proprio stato sovrano, la cui separazione dall'Italia testimoniava maggiormente la missione universale della Chiesa Romana.

Il secondo patto era una convenzione finanziaria per cui l'Italia risarciva alla Santa Sede le perdite subite da quest'ultima in occasione della presa di Roma.

Il terzo atto era un concordato che regolava i rapporti tra lo stato italiano e la Santa Sede in materia giuridica e amministrativa.

Sul versante economico venne inaugurata una politica di favore verso l'alta finanza e la classe industriale, introducendo nel campo economico le dottrine nazionaliste, ripetutamente sperimentate in politica. Risultato di tale connubio tra economia e nazionalismo fu l'*autarchia*, ossia la capacità dell'Italia di produrre in quantità tale da non dover ricorrere all'importazione. Il successo maggiore dell'autarchia si ebbe in agricoltura, con la celebre *battaglia del grano*, che permise al paese di raggiungere il proprio fabbisogno di frumento mediante la sola produzione interna. Ciò fu possibile grazie alle opere di bonifica di vaste zone paludose, infestate dalla zanzara anofele, propagatrice della *malaria* (malattia nota più raramente come *paludismo*). Più importante di tutte fu la bonifica dell'Agro Pontino, a sud di Roma, con la fondazione della nuova città di *Littoria* (poi *Latina*).

Altre importanti opere pubbliche furono realizzate durante il periodo fascista. Venne particolarmente curata la viabilità con nuove strade e ferrovie più adatte al crescente traffico. Fu inaugurata la nuova e più veloce linea ferroviaria tra Bologna e Firenze, resa possibile dall'apertura della galleria dell'Appennino, che, con i suoi 18 chilometri e 570 metri, risultò essere per lunghezza la seconda galleria ferroviaria del mondo, dopo quella del Sempione. Nelle città la realizzazione di grosse arterie di comunicazione fu spesso abbinata alla costruzione di imponenti edifici, simbolo del prestigio che il regime si attribuiva.

Il più deciso nazionalismo fu poi alla base della politica estera di Mussolini. Un primo atto di forza venne compiuto nell'agosto del 1923 con l'occupazione di Corfù, in seguito al massacro subito dai componenti di una missione militare italiana, incaricata di una serie di delimitazioni di frontiera tra la Grecia e l'Albania. L'occupazione dell'isola greca cessò per intervento del governo britannico che fece ottenere all'Italia un indennizzo, sebbene quest'ultimo fosse poi risultato inferiore ai reali costi della missione.

Nel 1924 l'Italia ottenne, con l'appoggio della Gran Bretagna, la già menzionata ex-colonia tedesca dell'Oltregiuba, che venne incorporata alla Somalia. In seguito al trattato di Roma del 27 giugno con la Jugoslavia fu annessa all'Italia anche Fiume, tranne il quartiere di Susak che passava al paese vicino. Nel 1925 Mussolini partecipò alla conferenza di Locarno, che fu seguita dal relativo patto del 16 ottobre dello stesso anno, per il mantenimento delle vigenti frontiere tra la Germania ed i paesi vincitori (Belgio, Francia e Polonia).

Nel 1926, l'Italia firmò un trattato di amicizia con l'Albania, trasformato, l'anno seguente, in trattato di alleanza.

Nel 1928 fu firmato anche dall'Italia il patto *Kallogg*, dal nome dell'allora segretario di stato americano, Frank Kallog, che prevedeva la rinuncia alla guerra quale strumento di politica nazionale.

La crisi economica del 1929, il cui segno più evidente fu il crollo della borsa di New York, ebbe per effetto in Europa l'ascesa delle destre ed il conseguente acuirsi dei vari nazionalismi: primo tra tutti quello tedesco.

Il fascismo sostenne apertamente le tesi revisioniste di quei paesi danubiani che, come l'Ungheria, avevano subìto forti perdite territoriali in seguito. Da un lato, il fascismo tese piuttosto a comprimere le esigenze di carattere etnico e linguistico delle minoranze slave nella Venezia Giulia (province di Trieste, Gorizia, Istria, e Carnaro) e di quelle di lingua tedesca nell'Alto Adige; d'altro lato, sostenne con decisione ogni sorta di irredentismi danubiani, atti ad impedire la formazione di una confederazione danubiana, auspicata dalla Francia. Ciò fu causa di rapporti oscillanti ed instabili tra Roma e Parigi, e che ebbero una parziale soluzione soltanto nel 1935 con l'accordo Mussolini-Laval, con il quale l'Italia ottenne una serie di modifiche alla propria frontiera in Libia con la Tunisia. A tali modifiche corrispose però la rinuncia da parte di Roma a diverse tra le particolari tutele giuridiche di cui aveva sino ad allora goduto la comunità italiana in Tunisia.

Il 3 ottobre 1935, una serie di incidenti di frontiera con l'Etiopia diede inizio all'occupazione di questa dalle truppe italiane. L'iniziale sbandamento italiano, che per un momento rischiò di far sfumare tutta l'impresa, fu prontamente riparato mediante la sostituzione dell'addetto alla direzione delle operazioni, De Bono, con il maresciallo Pietro Badoglio, il quale, dopo la vittoria presso il lago Ascianghi del 4 aprile 1936, entrò ad Addis Abeba il 5 maggio successivo. L'Etiopia fu quindi riunita, con la Somalia e l'Eritrea, nell'impero dell'Africa Orientale Italiana, proclamato formalmente il 9 maggio, la cui corona venne cinta da Vittorio Emanuele III.

Ma l'impresa abissina urtò contro gli interessi della Gran Bretagna, la quale aveva più volte cercato di dissuadere Mussolini dall'idea, proponendogli soluzioni alternative. Tuttavia, sebbene la Società delle Nazioni, fondata a Ginevra l'indomani della grande guerra, emise regolari sanzioni contro l'Italia, queste non ebbero alcun riscontro concreto e alla fine le stesse potenze che le avevano promosse dovettero inchinarsi dinanzi alla realtà dei fatti e riconoscere il nuovo stato di cose nell'Africa Orientale.

Era intanto iniziato un timido avvicinamento dell'Italia alla Germania di Hitler, nonostante le non trascurabili divergenze esistenti tra i due regimi, tra le quali, quella sul problema dell'unione dell'Austria alla Germania, nota come *Anschluss*, avversata dalle potenze occidentali e dalla stessa Italia, che in ciò vedeva una seria minaccia ai propri confini nord-orientali, oltre che un serio ostacolo ad un'eventuale penetrazione economica nel retroterra danubiano, da più parti auspicata sin dagli anni precedenti il primo conflitto mondiale.

La guerra civile in Spagna (1936-1939) e l'appoggio sia da Roma che da Berlino al generale Francisco Franco, sancirono però definitivamente l'allineamento tra l'Italia e la Germania, il quale si concretizzò nella nascita del così detto *Asse Roma-Berlino*.

Il 12 marzo 1938 truppe tedesche occuparono l'Austria, che divenne regolare parte della Germania, lasciando attonita l'Italia, dove l'opposizione all'Anschluss non si era affatto estinta. In quello stesso mese, venne aperta dalla Germania con la Cecoslovacchia la questione dei Sudeti, territorio cecoslovacco, ma abitato in maggioranza da genti di lingua tedesca. La situazione stava per precipitare e fu evitato lo scontro armato grazie all'intervento di Mussolini, il quale propose la convocazione di una conferenza in proposito. Questa ebbe luogo a Monaco (di Baviera) dal 20 al 30 settembre del 1938 e si concluse con la cessione del territorio conteso alla Germania.

Il 7 aprile 1939 l'Italia occupò nuovamente l'Albania, la cui corona andò allo stesso re d'Italia, Vittorio Emanuele III, come era già accaduto per l'Impero dell'Africa Orientale Italiana.

Il 22 maggio seguente venne firmato tra l'Italia e la Germania il cosiddetto *patto d'acciaio*, che sancì l'alleanza tra i due paesi in vista dell'imminente conflitto. Tuttavia Mussolini fece ben presente a Hitler l'impossibilità concreta dell'Italia di sostenere immediatamente una nuova guerra, date le numerose campagne militari nelle quali l'Italia era stata impegnata sin quasi a quel momento. Ma i giochi erano ormai fatti e la parola sarebbe ora toccata agli eserciti sul campo.

L'Italia e la seconda guerra mondiale

Dopo mesi di perplessità e di indecisioni, Mussolini ordinò l'entrata in guerra dell'Italia a fianco della Germania. Si trattò di una decisione non condivisa anche da molti tra gli stessi gerarchi del partito fascista, tra i quali il genero di Mussolini, incaricato agli Affari Esteri, Galeazzo Ciano. Il *Duce*, vale a dire Mussolini, fu anche informato da Badoglio, divenuto capo di Stato Maggiore, sulla netta impreparazione dell'esercito italiano ad affrontare una nuova guerra. Ma tutto ciò fu inutile e, il 10 giugno 1940, l'Italia entrò in guerra contro la Francia, già occupata dai Tedeschi. I combattimenti iniziarono il giorno 18 e, anche se i Francesi furono costretti ad arretrare, vi furono considerevoli perdite per l'Italia, alle quali si aggiunse pure il cannoneggiamento da parte della flotta francese sulla città di Genova.

In Africa, nel mese di agosto, vi fu l'occupazione italiana della Somalia Britannica, mentre il mese successivo, le truppe italiane giunsero dalla Libia sino alla località egiziana di Sidi Barrani, dalla quale bombardarono la base militare britannica di Malta.

Il 28 ottobre venne dichiarata guerra alla Grecia, per la quale Mussolini nutrì sempre poche simpatie. Fu un vero disastro, giacché, il 6 dicembre, le truppe elleniche inflissero una clamorosa sconfitta a quelle italiane nella località albanese di Santi Quaranta, occupando così parte dell'Albania. Quattro giorni più tardi, in Africa, le truppe britanniche sferrarono un violento contrattacco ricacciando gli italiani dall'Egitto, ed occuparono la città libica di Bengasi il 7 febbraio 1941, mentre, tra gennaio e maggio di quell'anno, cadde anche l'Africa Orientale Italiana, il Negus d'Etiopia rientrò ad Addis Abeba e gli Inglesi rimasero a presidiare l'Eritrea e la Somalia.

Sul fronte navale le cose non erano andate meglio. L'8-9 luglio 1940 la flotta italiana aveva subito un primo scacco da parte di quella inglese a Punta Stilo, mentre il successivo 13 ottobre, vi era stata un'incursione britannica nel porto di Taranto. Il 27-28 marzo 1941 vi era stata una nuova vittoria inglese a Capo Matapan.

Il 25 marzo 1941 anche la Jogoslavia aveva intrapreso una politica favorevole all'Italia ed alla Germania; ma, solo due giorni dopo, ci fu a Belgrado un colpo di stato militare. Venne elevato al trono il giovane re Pietro II e venne sconfessato l'impegno assunto con le potenze dell'Asse, le quali reagirono attaccando il paese, con la partecipazione dell'Ungheria e della Bulgaria, e la Jugoslavia sparì ben presto dalla carta geografica dell'Europa. Fu invece decisa la creazione del regno indipendente di Croazia, dal quale l'Italia riusciva a farsi cedere gran parte della costa dalmata, quale compenso per l'appoggio offerto da Roma ai separatisti croati di Ante Pavelic, mentre, secondo i progetti, il trono del nuovo regno sarebbe toccato al principe Aimone di Savoia-Aosta, con il nome di Tomislav II, il quale però di quel trono non prese mai possesso. Dopo la Jugoslavia fu definitivamente occupata la Grecia, compresa l'Isola di Creta.

Il 22 giugno 1941 iniziò la campagna di Russia, che fu un vero olocausto per le truppe italiane, con migliaia di morti e di dispersi.

L'11 dicembre, Italia e Germania dichiararono guerra anche agli Stati Uniti, scesi in campo contro il Giappone dopo l'attacco a sorpresa da parte di quest'ultimo, alleato dell'Asse, contro la base navale americana di Pearl Harbour, nelle isole Hawaii.

Intanto, il 14 agosto di quell'anno, il presidente americano, Roosevelt e il primo ministro britannico, Winston Churchill, avevano firmato la *Carta Atlantica*, che fissava i fondamentali principî – liberali e democratici – che, l'indomani di un'auspicata vittoria, avrebbero dovuto costituire la base del nuovo ordinamento internazionale. Ma in quel momento, essa significò principalmente una prima dichiarazione di solidarietà anglo-americana, destinata a dare i propri frutti nelle successive vicende del conflitto.

Il 23 ottobre 1942 l'VIII armata inglese del generale Montgomery sconfisse le truppe italiane e tedesche ad El Alamein,in Egitto e, il 23 gennaio 1943, la stessa armata conquistò Tripoli. Ciò avveniva in Nord-Africa mentre in Russia quelli erano i giorni di Stalingrado, ovvero l'inizio della controffensiva sovietica. Dunque, la guerra aveva assunto un nuovo corso, che non sarebbe più cambiato.

Il 15 maggio anche le truppe dell'Asse in Tunisia dovettero capitolare, attaccate anche dalle truppe anglo-americane di stanza in Algeria, dove erano sbarcate l'8 novembre dell'anno prima.

La notte tra il 9 e il 10 luglio 1943, gli Angloamericani sbarcarono in Sicilia.

I segni dell'imminente crollo del fascismo erano ormai evidenti, anche per il persistere, seppure nella clandestinità, di un forte contingente antifascista, rappresentato, in primo luogo, dai tradizionali partiti di sinistra (comunista e socialista), ai quali si affiancò ben presto il Partito d'Azione, operante di fatto sin dal 1940 ma formatosi ufficialmente nel '43, che consisteva, per lo più, di repubblicani, tuttavia divisi tra coloro che miravano alla costituzione di una repubblica democratica di stampo borghese e coloro i quali erano più attenti verso la classe proletaria. Infine, più a destra, vi erano gli eredi dei partiti prefascisti (per esempio i liberali), ai quali si aggiunsero nuovi gruppi politici quali la *Democrazia del Lavoro*, cui fece capo Ivanoe Bonomi, la *Democrazia Cristiana*, con alla testa Gronchi, De Gasperi, Jacini, ed altri, tutti eredi del vecchio partito popolare. Tutti questi partiti costituirono un fronte clandestino unico sin dal 1942, nel cui mese di agosto, si era tenuto a Montevideo il congresso degli Italiani Liberi, durante il quale il conte Sforza presentò un documento in otto punti sulla ricostruzione dell'Italia appena fosse stato abbattuto il regime fascista.

Nella primavera del '43 imponenti scioperi organizzati dalle sinistre paralizzarono l'attività lavorativa nelle principali fabbriche del Nord-italia.

Maturavano ormai anche nelle alte sfere governative i presupposti per porre fine al regime di Mussolini. Infatti non si erano mai del tutto assopiti gli ampi dissensi alla politica del Duce, che provenivano dall'interno stesso del partito fascista, nel gruppo di Ciano, Grandi e Bottai, e da Vittorio Emanuele III. La notte tra il 24 e il 25 luglio 1943, il Gran Consiglio del Fascismo decise la caduta del regime, intimando al suo capo di rassegnare le dimissioni. L'indomani Mussolini presentò queste ultime al Re, che diede l'incarico di assumere il governo del paese al maresciallo Badoglio, ponendo così fine al ventennio fascista. Seguì, di lì a poco, l'arresto di Mussolini, che fu confinato in una località degli Abruzzi, sul Gran Sasso.

Appena ebbe assunto l'incarico, Badoglio dichiarò che l'Italia avrebbe continuato la guerra a fianco della Germania, dopo una serie di contatti segreti con gli Angloamericani, il 3 settembre venne firmato l'armistizio, reso pubblico il successivo 8 settembre. Per paura di reazioni violente da parte dei Tedeschi, Badoglio, con il Re e la sua corte, lasciò Roma e si stabilì a Brindisi, già controllata dagli Angloamericani. La flotta italiana salpò alla volta di Malta, mentre le truppe italiane dislocate nelle varie zone di operazione vennero talvolta annientate dai Tedeschi (come, per es., nell'isola greca di Cefalonia) oppure andarono a congiungersi alle milizie della resistenza antitedesca dei paesi in cui si trovarono.

Il 13 ottobre, l'Italia, sollecitata soprattutto dalla Gran Bretagna, dichiarò guerra alla Germania. La penisola era divisa in due zone di occupazione: a sud la zona controllata dagli Angloamericani, inizialmente limitata al solo meridione del paese; al centro e al nord, la zona occupata dai Tedeschi sin dal 10 settembre, cioè prima che l'Italia dichiarasse loro guerra. In questa parte venne creata la *Repubblica Sociale Italiana*, detta anche *Repubblica di Salò*, poiché la capitale era Salò, sulla sponda occidentale del lago di Garda. Capo di essa era divenuto Mussolini, che i Tedeschi avevano nel frattempo liberato. Tuttavia Hitler si premurò immediatamente di privare il nuovo stato italiano della sua parte nord-orientale. Vennero infatti annessi alla Germania i territori del Trentino, dell'Alto Adige e della provincia di Belluno, con il nome di *Zona di operazione delle Prealpi*, e quelli del Friuli e della Venezia Giulia, con il nome di *Litorale Adriatico*.

In questo clima nacque il *Comitato di Liberazione Nazionale* (C.L.N.), rappresentante dei sei partiti antifascisti (Comunista, Socialista, d'Azione, Democratico del Lavoro, Democratico Cristiano, Liberale). Il C.L.N. accordò la propria collaborazione al governo Badoglio, a patto che, finita la guerra, avesse garantito il diritto agli Italiani di decidere sull'assetto istituzionale del paese mediante una consultazione popolare che sancisse la caduta o la permanenza della monarchia, screditatasi durante il ventennio che si era appena concluso. Tale assicurazione arrivò il 12 aprile 1944 e, il giorno 21, Badoglio, trasferitosi a Salerno, formò un nuovo gabinetto, più in linea con le direttive del C.L.N., sebbene sottoposto alla supervisione della Commissione Interalleata di Controllo.

Intanto, nella parte d'Italia occupata dai Tedeschi il 1944 fu un anno molto duro. Numerosi massacri furono commessi, specie a danno dei civili, dai nazifascisti, ma anche dagli stessi ribelli, organizzatisi nel frattempo in milizie di resistenza nazionale, le quali intrapresero contro le truppe d'occupazione tedesche una incessante guerra partigiana.

Il 4 giugno venne liberata Roma e, in attesa del preventivato referendum istituzionale, Vittorio Emanuele III cedette i propri poteri al Figlio, Umberto II, che non divenne dunque re, ma solamente *Luogotenente del Regno*.

L'11 agosto un'insurrezione popolare permise ai partigiani di liberare Firenze, prima ancora che vi giungessero le truppe *alleate* (angloamericane). Ciò si verificò nella liberazione di numerosi altri centri del paese, il che acuì il sentimento di diffidenza alleata verso i partigiani e non solo per la loro estrazione ideologica in gran parte di sinistra, ma piuttosto perché i loro successi nella campagna di liberazione dell'Italia risollevavano l'immagine di quest'ultima in vista della pace, contravvenendo alle ambizioni punitive soprattutto inglesi e francesi nei riguardi di Roma.

Gia nel 1943, il portavoce del governo francese in esilio, René Massigli, aveva fatto chiaramente intendere come la guerra con l'Italia offriva alla Francia il pretesto (quasi provvidenziale) per eliminare dalla scena del Mediterraneo l'avversaria, il cui vero torto era stato quello di aver voluto porre in discussione l'egemonia francese su quel mare.

Inoltre, nel novembre dello stesso anno, era stato redatto a Londra un documento noto come "documento di Transfert", che rifletteva la linea decisamente anti-italiana del ministro degli Esteri britannico, sir Robert Anthony Eden. Questo documento prevedeva l'estinzione dell'Italia quale stato sovrano, mediante il suo frazionamento in diverse zone di occupazione o direttamente annesse ad altri paesi. L'Italia nord-occidentale sarebbe passata sotto occupazione francese, mentre quella nord-orientale avrebbe subìto la sorte della Jugoslavia. Nell'Italia centrale sarebbe risorto lo Stato Pontificio, mentre al sud gran parte della Puglia sarebbe toccata alla Grecia e l'Inghilterra avrebbe acquisito la Sicilia e fors'anche la Calabria; analoga sorte sarebbe toccata alla Sardegna.

La sospensione delle attività militari partigiane dell'inverno 1944-45 non significò la sospensione dell'azione antitedesca e antifascista sul versante politico. Questa fu soprattutto svolta dal *Comitato di Liberazione Nazionale dell'Alta Italia* (C.L.N.A.I.).

Con la primavera del 1945 riprese anche l'attività militare partigiana e, il 25 aprile, un'insurrezione a Milano e a Genova, permise lo sgombro delle due città dai Tedeschi e dai fascisti. L'indomani fu la volta di Torino, mentre il 27, Mussolini tentò la fuga verso la Svizzera assieme all'amante, Claretta Petacci, ed altri collaboratori. Bloccato e arrestato dai partigiani, venne da questi fucilato con la stessa Petacci e una quindicina di altri gerarchi il 28 aprile. I cadaveri vennero esposti in Piazzale Loreto, a Milano, dove qualche settimana prima era accaduto lo stesso per i cadaveri di alcuni partigiani, giustiziati dai nazifascisti.

Il 29 aprile le truppe tedesche in Italia capitolarono. Si concludeva così l'odissea italiana nel secondo conflitto mondiale.

Terminata la guerra, la linea conservatrice sino a quel momento seguita dal governo di Ivanoe Bonomi mutò sensibilmente quando Ferruccio Parri, reduce anch'egli dalla lotta partigiana nelle file del Partito d'Azione. Egli rimase in carica da giugno a dicembre 1945 subentrò come capo del governo e sotto il suo *dicastero* (mandato di capo del Governo) venne istituita un'*assemblea consultiva* (sorta di parlamento) e venne resa più rapida l'opera di estromissione dalle pubbliche istituzioni delle persone compromesse con il passato regime. Su questa linea si giunse, il 2 giugno 1946, al referendum istituzionale, il cui esito decretò, con il 54% dei voti, la fine della monarchia e l'instaurazione della repubblica. Venne egualmente eletta un'*assemblea costituente*, presieduta dal socialista Giuseppe Saragat (uno dei futuri presidenti della Repubblica) ed incaricata di redigere il testo della nuova costituzione. Capo provvisorio dello Stato fu eletto Enrico De Nicola.

La nuova carta costituzionale fu approvata il 22 dicembre 1947 ed entrò in vigore il 1° gennaio 1948.

La pace e le nuove scelte italiane

I primi anni della Repubblica furono anni difficili.

Il 10 febbraio 1947 Alcide De Gasperi, in veste di ministro degli Interni, firmò a Parigi per l'Italia il trattato di pace con le potenze vincitrici, che entrava in vigore il successivo 16 settembre. Mentre la Somalia ex-italiana veniva riassegnata all'Italia in amministrazione fiduciaria sino al 1960, l'Eritrea fu unita all'Etiopia, indipendente già dal 1941; la Libia divenne un regno indipendente sotto influenza inglese e le isole del Dodecanneso, possedute anch'esse dall'Italia dal 1912 ma abitate da greci, passarono alla Grecia.

Passarono invece alla Francia i comuni di Briga e di Tenda, con le importanti centrali idroelettriche di San Dalmazzo; divennero inoltre francesi gran parte dell'altopiano del Moncenisio, della Valle stretta, nonché il monte Chaberton, in cima al quale, dalla fine del secolo precedente, sorgeva il più alto forte d'Europa. Altre rettifiche del confine vennero compiute nei pressi del monte Bianco e nella Liguria occidentale, dove solo grazie all'intervento ed alle insistenze del delegato neozelandese, Mason, l'Italia poté conservare il comune di Olivetta San Michele con l'importante centrale idroelettrica di Airole. Fu diviso a metà dal nuovo confine italo-francese il piccolo centro alpino di Clavière che divenne oggetto di una lunga e difficile questione tra Roma e Parigi, parzialmente risolta soltanto quarantadue anni più tardi, nel 1989.

Sorte più difficile toccò alle province orientali dell'Istria, di Fiume, di Zara con le isole dalmate, le cui annessioni alla nuova Jugoslavia del maresciallo Tito provocò l'esodo di più di 250 mila persone.

Divennero jugoslavi anche il Carso e l'alto e medio bacino dell'Isonzo (*Soca* in sloveno), dai quali, tuttavia, non vi fu un vero e proprio esodo di italiani, essendo quei territori abitati prevalentemente da sloveni. Ma, come per Clavière sul confine occidentale, anche ad est si commise l'eccesso. La nuova frontiera orientale con la Jugoslavia mutilò la città di Gorizia della sua periferia orientale, privandola di una delle due stazioni ferroviarie, giungendo a ridosso del muro di cinta dell'ospedale e tagliando a metà il cimitero, che solo in seguito fu reso completamente all'Italia. Venne poi eretto il Territorio Libero di Trieste (T.L.T.), diviso in due zone di occupazione: la zona A, comprendeva la stessa città di Trieste ed era sotto il controllo angloamericano, mentre la zona B comprendeva l'Istria nord-occidentale ed era sotto il controllo jugoslavo. Tale situazione sarebbe cessata non appena fosse stato nominato dalle Nazioni Unite (subentrate nel 1945 alla Società delle Nazioni) il governatore incaricato da esse a reggere il nuovo stato. Ma il contenzioso che si sviluppò tra Belgrado e Roma attorno alla questione di Trieste, fece fallire il progetto di territorio libero e, in seguito al *Memorandum di Intesa* siglato a Londra il 5 ottobre 1954 tra gli Stati Uniti, la Gran Bretagna, l'Italia e la Jugoslavia, la Zona A con Trieste passò all'Amministrazione della Repubblica italiana, mentre la Zona B passò a quella jugoslava, con in più qualche ulteriore rettifica a svantaggio della Zona A. Così stabilito, il confine tra Jugoslavia e Italia verrà confermato con il trattato di Osimo, firmato dai due paesi nel novembre del 1975, sollevando non poche proteste specie tra gli esuli istriani e dalmati.

Alle perdite territoriali si aggiunsero pure alcuni movimenti separatisti, i quali ebbero punte preoccupanti in Sicilia e in Valle d'Aosta, mentre il ritorno in Alto Adige di molti cittadini di lingua tedesca, emigrati in Austria ed in Germania all'epoca del fascismo, fece riemergere la questione dell'irredentismo sud-tirolese.

Sul versante interno della politica, il 1947 vedeva la crisi della sinistra, con la scissione dal Partito Socialista Italiano del nuovo *Partito Socialista dei Lavoratori Italiani*, dal quale nacque poi il *Partito Socialdemocratico Italiano* (P.S.D.I.), mentre il viaggio di De Gasperi a Washington pose le premesse per l'allineamento dell'Italia tra i paesi anti-comunisti. Infatti, di ritorno dagli Stati Uniti, De Gasperi formò un nuovo governo nel quale, contrariamente a prima, i partiti di sinistra non ottennero più ministeri importanti come, per esempio, quello degli Esteri. Dopo alcuni mesi, vi fu una nuova crisi di governo, e toccò nuovamente a De Gasperi formare il nuovo gabinetto, nel quale non vi furono più esponenti del partito socialista e di quello comunista. Nel febbraio del 1948 il colpo di stato comunista in Cecoslovacchia, che pose fine al governo democratico di Benes, accrebbe la diffidenza tra i partiti di sinistra (soprattutto quello comunista) e la Democrazia Cristiana (D.C.), partito di maggioranza relativa e condizionò fortemente l'esito delle elezioni politiche del 18 aprile 1948, vinte nettamente dalla D.C., che ottenne la maggioranza assoluta alla Camera dei Deputati. Non mancarono le pressioni di Washington, dove il segretario di stato americano, Marshall, aveva varato il piano di aiuti economici per la ricostruzione dell'Europa e, dunque, anche dell'Italia, che, perciò, non si voleva certo veder finire in mano comunista.

Inoltre, negli anni che seguirono immediatamente il conflitto, una serie di delitti insanguinarono la bassa Valle Padana ad opera di estremisti comunisti nei confronti di persone accusate in maniera affrettata di passata collaborazione con il fascismo, mentre nel 1948 il tentativo di assassinare Palmiro Togliatti, massimo esponente del comunismo italiano, compiuto da un giovane neofascista, causò una massiccia reazione delle sinistre con scioperi e manifestazioni di piazza.

L'11 maggio 1948 Luigi Einaudi veniva eletto primo vero e proprio Presidente della Repubblica italiana. Gli succedeva sette anni più tardi Giovanni Gronchi, durante il cui mandato venne creata la Corte Costituzionale, con l'incarico di giudicare la conformità delle leggi dello Stato alla nuova Carta repubblicana. Seguì l'entrata in funzione del *Consiglio Superiore della Magistratura* (C.S.M.), garante dell'autonomia del potere giudiziario dagli altri poteri dello Stato.

Più laboriosa era la messa in opera del piano costituzionale concernente le regioni, sino ad allora note soltanto come entità puramente geografiche, ma alle quali la nuova carta intendeva conferire dignità politico-amministrativa. Esse dovevano essere venti, di cui cinque avrebbero goduto di un particolare statuto di autonomia legislativa, derivante dalla loro situazione geografica (era questo il caso della Sicilia e della Sardegna, entrambe isole) o alla presenza di forti minoranze linguistiche (erano queste: la Valle d'Aosta, il Trentino-Alto Adige e il Friuli-Venezia Giulia).

Sul piano internazionale, la guerra fredda tra paesi comunisti e paesi capitalisti, dominava ormai la scena politica mondiale.

In questo clima, per convinzione o per costrizione, l'Italia, paese centro-mediterraneo per eccellenza, si accinse a compiere la propria scelta in politica estera a favore dell'occidente, iniziando con la firma del Patto Atlantico nel 1949 e, via via, proseguendo con l'entrata nelle varie organizzazioni europee occidentali, nate negli anni Cinquanta, di cui la più importante fu la Comunità Economica Europea (C.E.E.), istituita con il trattato di Roma del 25 marzo 1957.

Nei decenni futuri sarebbero gradualmente emersi i limiti della scelta occidentale operata dall'Italia, limiti che tuttavia l'urgenza di risollevare l'economia del paese non permetteva, in quei momenti, di prendere pienamente in considerazione.

Dal "miracolo economico" agli "anni di piombo"

A partire dalla metà degli anni Cinquanta, si ebbe in Italia un rapido processo di trasformazione che fece in breve tempo di essa uno dei paesi più industrializzati d'Europa. L'improvviso benessere contribuì all'ascesa del ceto medio e all'affermarsi dei valori medio-borghesi, avviando una progressiva omologazione culturale, favorita dal vertiginoso sviluppo della comunicazione di massa e dal diffondersi della televisione, le cui trasmissioni iniziarono in Italia nel 1953. La politica interna italiana fu, sin dai primi anni del dopoguerra, caratterizzata dalla contrapposizione tra i due principali partiti: la Democrazia Cristiana, che ebbe sin da allora la maggioranza in Parlamento, e il Partito Comunista, primo partito di opposizione. Il timore dell'ascesa comunista spinse sempre più la D.C. su linee spiccatamente conservatrici, tanto che, nel marzo del 1960, Fernando Tambroni formò un governo di centro-destra con l'appoggio del *Movimento Sociale Italiano* (M.S.I.), che, assieme al *Partito Monarchico Italiano* (P.M.I.) rappresentava l'estrema destra italiana.

Ma la soluzione "Tambroni" non piacque alla gran parte dell'opinione pubblica del paese, che vedeva nella presenza della destra il riaffacciarsi sulla scena politica di personaggi ritenuti eredi del regime fascista.

Scioperi e manifestazioni di protesta si susseguirono in tutta la penisola, costringendo Tambroni a dimettersi nel luglio successivo; al suo posto subentrò alla presidenza del Consiglio Amintore Fanfani, esponente della D.C.

Il nuovo orientamento democristiano fu deciso con il congresso di Napoli del 1962, nel quale si decise una progressiva apertura verso i partiti di sinistra, quale base del nuovo programma dei futuri governi, che divenne noto con il nome di *centro-sinistra*.

Vennero compiute sin dall'inizio importanti riforme, quali la nazionalizzazione della produzione dell'energia elettrica, sino ad allora in mano a compagnie private; fu introdotta una nuova imposta sui titoli azionari, mentre venne esteso da cinque ad otto anni il periodo obbligatorio di frequenza della scuola, unificando, il programma scolastico del sesto, settimo ed ottavo anno, sino ad allora facoltativi e differenziati a seconda che l'alunno fosse orientato a proseguire gli studi o a ricevere una diversa formazione professionale.

Anche dalla Chiesa cattolica giunsero segni di apertura con l'elezione a papa, nel 1958, del cardinale Angelo Roncalli con il nome di Giovanni XXIII, succeduto all'ultraconservatore cardinale Pacelli (Pio XII).

L'11 ottobre 1962 il nuovo pontefice indisse il *Concilio Ecumenico Vaticano II*, volto ad orientare la Chiesa verso un rinnovamento che tenesse conto del nuovo corso storico e delle diverse realtà nelle quali essa era chiamata a svolgere la propria missione e le cui particolarità locali dovevano farsi motivo di dialogo anziché di conflitto.

Giovanni XXIII morì nel 1963 e gli successe il cardinale Giovanni Battista Montini con il nome di Paolo VI, al quale toccò l'arduo compito di proseguire e concludere il Concilio.

Iniziò in questi anni lo sviluppo delle periferie urbane, dovuto all'emigrazione dalle campagne verso le città e al progressivo trasferimento dal centro cittadino verso le nuove zone residenziali. Nacquero i primi *quartieri dormitori*, lontani dal centro cittadino, ma dipendenti strettamente da esso, dove la vita coincideva generalmente con il ritorno serale dei loro abitanti, sempre più desiderosi di isolarsi dal resto del mondo, rinchiudendosi in casa in compagnia unicamente del televisore. Altro fenomeno tipico di quegli anni fu la massiccia emigrazione dall'Italia meridionale verso le città industriali del nord, con conseguenze spesso traumatiche nel rapporto tra gli abitanti di queste ultime ed i nuovi arrivati. Nel 1950 era stata creata la *Cassa per il Mezzogiorno*, attraverso la quale lo Stato si impegnava a stanziare ingenti fondi per la costruzione di infrastrutture nel Sud del paese per uno sviluppo di questa parte d'Italia più in sintonia con le regioni del Nord. Una riforma agraria aveva consentito il recupero di circa ottomila ettari di terreno, poi distribuiti a migliaia di piccoli proprietari. Tutto ciò non impedì l'accrescersi del divario economico tra Nord e Sud, mentre furono per lo più contadini coloro che giunsero in massa nei sobborghi delle grandi metropoli, andando ad ingrossare le file del proletariato operaio che, nell'autunno del 1969, fece sentire la propria protesta invocando un migliore trattamento economico. Infatti, alla rapida ripresa economica avevano contribuito anche i bassi salari, e il loro aumento poneva seri problemi di competitività dei prodotti italiani sul mercato mondiale. Tra l'altro, non disponendo di materie prime sul proprio territorio, l'Italia era costretta ad importarle, spesso dagli stessi paesi concorrenti, essendo pressoché chiusi i mercati dell'Est.

Lo sviluppo iniziato verso la metà degli anni Cinquanta, noto come il *miracolo economico*, ebbe un primo momento di crisi nel 1964 con una conseguente battuta d'arresto del processo di riforma iniziato un paio d'anni prima, dando nuovo vigore alle forze conservatrici, appoggiate dagli alti vertici economici e militari, e fors'anche dall'allora presidente della Repubblica, Antonio Segni, poi costretto da problemi di salute a lasciare in quello stesso anno la propria carica a favore di Giuseppe Saragat.

Inquietanti avvenimenti internazionali quali il colpo di stato dei colonnelli in Grecia del 1967 e quello del generale Pinochet in Cile del 1973, diffusero per un buon decennio il sospetto che qualcosa del genere stesse per compiersi anche in italia ad opera dei servizi segreti.

Purtroppo gli anni Sessanta furono anche un decennio di gravi calamità naturali.

La sera del 9 ottobre del 1963 una gigantesca frana invase il bacino artificiale del Vajont, nell'Italia nord-orientale, facendo tracimare di colpo l'enorme massa d'acqua in esso contenuta, la quale si riversò con violenza nella sottostante valle del Piave, seminando distruzione e vittime nell'abitato di Longarone e nei suoi dintorni.

Nel novembre del 1966 era la volta di Firenze, invasa dalle acque dell'Arno che vi provocarono, tra l'altro, ingenti danni a monumenti e opere d'arte che solo un paziente lavoro di restauro consentirà in seguito di riportare in gran parte all'antico splendore.

Il 1968 si apriva con un disastroso terremoto che, nella notte tra il 14 ed il 15 gennaio, sconvolgeva la valle del Belice, nella Sicilia occidentale, con 340 morti ed un numero incalcolabile di feriti, sei paesi distrutti ed altrettanti gravemente danneggiati, mentre il numero dei senza tetto raggiunse le centomila persone.

L'inefficienza dei soccorsi e la ricostruzione, lenta e irta di ostacoli, saranno fonte di lunghe ed aspre polemiche la cui eco si propagherà a lungo negli anni a venire.

Intanto, tra l'inverno 1967 e la primavera del 1968, era esplosa anche in Italia la contestazione giovanile, soprattutto studentesca, con l'occupazione delle università e poi anche degli altri istituti scolastici. La guerra del Vietnam, le rivolte nere negli Stati Uniti, ed altri avvenimenti internazionali, avevano fatto sentire i propri effetti nei giovani italiani. Nacquero in questo periodo numerosi gruppi extraparlamentari di sinistra *(Lotta Continua, Potere Operaio, Avanguardia Operaia*), dove la contestazione nelle scuole e nelle università trovava sempre maggiori punti di incontro con le masse operaie che sarebbero scese in piazza nell'autunno "caldo" del 1969.

Nacquero però altrettanti gruppi di estrema destra (*Ordine Nuovo, Anno Zero, Avanguardia Nazionale*) e l'inevitabile frizione con i gruppi della parte opposta innescò una spirale di violenze che sarebbe ben presto giunta alla lotta armata degli anni Settanta.

Iniziò per l'Italia un fosco periodo, fatto di tensione e di attentati terroristici. Il 12 novembre del '69 una bomba scoppiò a Milano presso la sede della Banca dell'Agricoltura, in Piazza Fontana, provocando numerosi morti e feriti. Nella primavera del 1974 un'altra bomba esplose a Brescia, nella centrale piazza della Loggia, durante un comizio sindacale, uccidendo nove persone. Dodici furono poi le vittime dell'attentato ad un treno nell'agosto dello stesso anno nei pressi di Bologna.

I responsabili di questi delitti rimasero a lungo ignoti, ma si diffuse ben presto la convinzione che si trattasse di cellule deviate degli stessi organi dello Stato, i quali, così facendo, avrebbero inteso screditare la sinistra, attribuendo all'ascesa di questa la causa dei crimini e ridestando nell'opinione pubblica il desiderio di un ritorno di quelle forze conservatrici che avevano ad allora favorito il mantenimento dell'ordine, che ora era necessario ristabilire magari con un colpo di stato. Si parlò infatti di *strategia della tensione*, tesi che troverà sostanziale conferma un ventennio più tardi, a séguito di un'accurata inchiesta giudiziaria su quelle stragi.

Una relativa affermazione della destra si ebbe nelle elezioni politiche del 1972, ma l'improvviso e vertiginoso aumento del prezzo del petrolio e dei suoi derivati, verificatosi l'anno seguente, fece salire notevolmente in Italia il tasso di inflazione sin quasi al 20% ed ebbe effetti negativi sulla solidità dei governi di quegli anni, mentre riprese più decisa la svolta a sinistra. il tentativo di abrogare la legge sul divorzio, approvata qualche anno prima, fallì con un referendum nel maggio del 1974, mentre una poderosa avanzata del Partito Comunista caratterizzò le elezioni *amministrative* (riguardanti gli organi amministrativi locali) del 1975 e, nelle elezioni *politiche* (riguardanti il parlamento nazionale) del 20 giugno 1976, lo stesso P.C.I.

4% dei voti, e poco mancò che diventasse il nuovo partito di maggioran- togliesse per la prima volta quel ruolo alla Democrazia Cristiana. Se la D.C. o per il timore di perdere quel primato, un mese e mezzo prima, vale a dire la notte del 6 maggio, in Friuli, aveva tremato invece la terra, con interi abitati rasi al suolo e migliaia di vittime. Il sisma si ripeteva a settembre, demolendo quello che era rimasto in piedi a maggio.

L'assistenza ai superstiti e l'avvio della ricostruzione in Friuli divenivano così per il nuovo parlamento obiettivi della massima urgenza, che andavano ad aggiungersi alla già difficile situazione italiana.

Il *sorpasso* comunista non c'era stato; tuttavia il nuovo segretario della D.C., Aldo Moro, ritenne opportuno avviare le trattative per un *compromesso storico* tra la Democrazia Cristiana, il Partito Comunista e il Partito Socialista, basato sul ritorno all'antica solidarietà che aveva legato tra loro i partiti antifascisti l'indomani del conflitto mondiale. Con esso la Democrazia Cristiana intendeva portare i comunisti su linee più moderate. Ma il risultato fu il formarsi, a sinistra di gruppi estremisti che reagirono contro la politica di compromesso del P.C.I. e scelsero ben presto la strada della lotta armata. Il più temibile di questi gruppi fu quello delle *Brigate Rosse*, responsabili di numerosi fatti di sangue, il più clamoroso dei quali fu il sequestro dello stesso Aldo Moro, avvenuto a Roma il 16 marzo 1978, nel quale furono massacrati gli uomini della scorta. Lo stesso Moro fu poi ritrovato morto dentro ad un'autovettura abbandonata in una via centrale della capitale.

Il lento risveglio

Il 1978 fu un anno cruciale per la storia italiana.

Durante l'estate di quell'anno dovette dimettersi l'allora presidente della Repubblica, il democristiano Giovanni Leone, per uno scandalo finanziario, nel quale rimasero coinvolte persone a lui vicine, compresi due ministri. Gli successe il socialista, ex partigiano, Sandro Pertini. Figura carismatica, egli divenne ben presto il più popolare tra i presidenti della Repubblica che si erano succeduti sino ad allora. Durante il suo mandato cessava il monopolio democristiano alla presidenza del Consiglio e si ebbero i primi governi guidati da non democristiani, il primo dei quali fu quello del repubblicano Giovanni Spadolini (1981-82).

L'indomani del delitto Moro entrava in crisi la stessa lotta armata, dovuta all'opera dei così detti *pentiti*, ex-militanti che, arrestati, avevano deciso di collaborare con la giustizia.

Continuarono invece ad esplodere gli ordigni ad orologeria.

Rabbia e sgomento suscitò infatti la strage del 2 agosto 1980 alla stazione ferroviaria di Bologna, dove l'esplosione di una bomba devastò una parte dell'edificio, oltre a lasciare sul terreno 85 morti e un centinaio di feriti.

Nel 1978 morì Papa Paolo VI e, dopo il breve pontificato del cardinale Albino Luciani (Giovanni Paolo I), divenne papa, con il nome di Giovanni Paolo II, il cardinale polacco

Karol Wojtyla. La sua elezione rappresentò l'inizio di un graduale ma radicale cambiamento sull'intera scena politica mondiale, da anni immobilizzata attorno alla figura delle due superpotenze, gli Stati Uniti e l'Unione Sovietica di Leonid Breznev, nonché dalla cronica paura di una guerra nucleare.

Con Giovanni Paolo II la chiesa riscoprì un'interpretazione del proprio magistero più rigida, ma, d'altra parte, necessaria per testimoniare nuovamente a pieno titolo il proprio ruolo di istituzione al di sopra delle parti. Difatti gli anni Settanta sono stati caratterizzati dalla nascita, specie al Nord, di grandi movimenti giovanili di massa, alcuni dei quali erano di matrice cattolica. Tuttavia l'invadenza e la teatralità di alcuni di essi pose in guardia la Chiesa stessa, la quale giunse persino a richiamare qualcuno dei loro responsabili, temendo da essi una sorta di deviazione dall'ortodossia cattolica, se non altro sul piano esteriore.

Con il nuovo pontefice l'Italia aprì finalmente gli occhi verso realtà che il consumismo aveva tenuto nascoste alla maggioranza del paese sino alla fine degli anni Settanta.

La nascita in Polonia del sindacato *Solidarnosc* l'indomani dei fatti di Danzica del 1980 fu motivo di sempre maggiore appoggio da parte italiana alla causa della libertà e del rinnovamento in Polonia e in tutto l'Est europeo. Ciò fu occasione per crescenti contatti tra l'Italia ed i paesi allora *d'oltre-cortina*, mentre cresceva la consapevolezza delle forti analogie nel carattere con essi, più di quanto ce ne fossero con quell'Occidente in seno al quale l'Italia era stata proiettata dagli eventi.

Mentre era ancora vivo il ricordo della *guerra del vino*, qualche anno prima innescata dai viticultori francesi a danno di quelli degli altri paesi della CEE, tra cui l'Italia, crebbe un sotterraneo scetticismo verso tutto ciò che legava l'Italia alla Comunità Europea. Esso fu particolarmente sentito nelle regioni centrali e meridionali del paese, la cui notevole attività agricola era priva degli sbocchi naturali di mercato, mentre subiva tutto il peso della concorrenza degli altri paesi comunitari e non solo di essi, tanto che quintali di derrate italiane erano sistematicamente distrutti per impedire l'eccessivo ribasso dei prezzi dei prodotti agricoli.

Si trattava dunque di un tacito ma determinato dissenso che ebbe ben presto i propri effetti su più vasta scala. Meno toccate dall'impoverimento culturale, le regioni del centro riscoprirono aspetti e tradizioni che derivavano loro dal ricco patrimonio storico medioevale e rinascimentale e permettevano loro di guardare con serenità ai tempi nuovi, mentre al Nord ed al Sud del paese ci si preparava ad una drammatica resa dei conti.

Il 23 novembre del 1980 un disastroso terremoto distrusse interi paesi in una vasta zona dell'Italia meridionale lasciando migliaia di morti sotto le macerie, e di *senza tetto*, per i quali iniziarono lunghi anni di attesa per riavere una casa o ottenere il denaro per ricostruirla, mentre i fondi stanziati dal Governo per la ricostruzione delle aree terremotate finivano nelle tasche di funzionari senza scrupoli o venivano riciclati ad opera della criminalità organizzata.

Gli anni Ottanta furono dunque un decennio di trasformazione, in cui le vecchie logiche dettate sin dagli anni dell'immediato dopoguerra, si scontrarono sempre più con il desiderio di novità che cresceva man mano nel paese.

Ma il 13 maggio 1981 un terrorista turco ferì con un colpo di arma da fuoco Giovanni Paolo II, facendo temere per un momento il peggio. L'autore dell'attentato venne immediatamente arrestato e condotto in carcere. Si parlò inizialmente di un complotto dei servizi segreti bulgari con la complicità di Mosca, mentre in seguito emerse gradualmente l'ipotesi di responsabilità anche occidentali nell'accaduto. Intanto nel 1982 morì Leonid Breznev, portavoce dell'immobilismo internazionale di quei lunghi anni, mentre appariva in lontananza la figura carismatica di Mihail Sergeevic Gorbacëv, l'uomo della *Perestrojka* e quindi della svolta storica definitiva dell'Est nella seconda metà degli anni Ottanta.

In Italia l'ascesa nel 1983 a presidente del Consiglio del socialista Bettino Craxi coincise con l'inizio di una certa ripresa economica e una ridiscesa dell'inflazione, il cui tasso tornò ad essere inferiore al 10%.

In politica estera non mancarono momenti difficili, specie nella seconda metà del 1985, quando, nonostante il governo e il parlamento in carica stessero conducendo una politica decisamente filoaraba e critica verso Israele, l'Italia, ed in particolare Roma, non mancò di essere teatro di atti terroristici ad opera dell'estremismo islamico, il più sanguinoso dei quali, colpì nel mese di dicembre l'ufficio della compagnia di volo israeliana ELAL presso l'aeroporto romano di Fiumicino, lasciando sul terreno numerosi morti e feriti.

Inoltre, il 7 ottobre, nelle acque antistanti l'Egitto, la nave da crociera italiana Achille Lauro, con a bordo 454 persone, fu sequestrata da un commando di terroristi palestinesi i quali si arresero soltanto dopo aver girovagato nel Mediterraneo per due giorni e dopo aver assassinato e gettato in mare un turista americano, per altro invalido.

Lasciata la nave, i sequestratori ed un alto esponente dell'Organizzazione per la Liberazione della Palestina, Mohammed Abu Abbas, intervenuto quale mediatore tra il commando e le autorità, si imbarcò su di un aereo egiziano il quale venne però intercettato in volo dall'aviazione americana e costretto ad atterrare all'aeroporto N.A.T.O. di Sogonella, in Sicilia.

Alla richiesta americana di cattura ed estradizione dei terroristi, il governo italiano si oppose con fermezza, onde evitare l'incidente diplomatico con il Cairo, quanto mai inopportuno per l'Italia, paese mediterraneo come del resto l'Egitto. Infatti, per catturare il commando, alcuni reparti armati italiani avrebbero dovuto penetrare nel velivolo violandone l'immunità di cui esso godeva analogamente ad una qualsiasi ambasciata, nella fattispecie, egiziana.

Si era perciò deciso di lasciar partire l'aereo da Sigonella per Roma, da dove partì poi per altra destinazione.

Inevitabile fu lo scontro diplomatico con Washington; ma il fatto ebbe ripercussioni anche all'interno dello stesso governo Craxi, dalla cui coalizione, il 16 ottobre, uscirono i Repubblicani, con i ministri Mammì, Spadolini e Visentini, mentre il giorno seguente il presidente del Consiglio rassegnò le proprie dimissioni aprendo così la crisi di governo.

Il 24 ottobre, in occasione della Conferenza di New York dei sette paesi più industrializzati del mondo, Craxi ebbe poi con l'allora presidente americano, Ronald Reagan, un incontro, in cui i due uomini di stato chiarirono le divergenze tra Roma e Washington sull'incidente Sigonella, il quale si considerava pertanto definitivamente chiuso. Rientrato in Italia, Craxi ricevette nuovamente l'incarico di formare il Governo.

Ma la stabilità politica voluta ed in gran parte raggiunta dal governo Craxi gradualmente divenne autentica immobilità, all'insegna della spartizione del potere tra i maggiori partiti, tanto da far parlare sempre più di *partitocrazia*. L'impoverimento culturale delle nuove generazioni fece venir meno la coscienza del proprio patrimonio storico-culturale, fondamentale per una sana crescita anche politica. Ciò dunque maggiormente espose il paese ad insidie quali il discredito delle istituzioni dello Stato mediante la corruzione massiccia nelle alte cariche pubbliche, così come il dilagare della criminalità organizzata soprattutto nel Meridione.

Ciònonostante, i cambiamenti che, durante tutti gli anni Ottanta, si profilarono sulla scena internazionale non lasciarono indifferente l'opinione pubblica italiana. Alla crisi dei due maggiori partiti contrapposti (Democrazia Cristiana e Partito Comunista) seguì quella dei sindacati tradizionali, più o meno legati ad essi e si moltiplicavano i sindacati autonomi, mentre si faceva ormai strada la necessità di una maggiore sensibilità verso il problema ecologico.

Sgomento e terrore suscitò la notizia dell'esplosione, avvenuta il 26 aprile 1986, di un reattore della centrale elettronucleare sovietica di Cernobyl, presso Kiev. L'evento influenzò visibilmente l'esito del referendum del novembre 1987 sull'erezione in Italia di centrali nucleari per la produzione di energia elettrica, alla quale la maggioranza dei cittadini si dichiarò contraria.

Ma la sciagura di Cernobyl non fu solo un disastro per l'ambiente: essa accelerò la crisi dell'Unione Sovietica quale potenza comunista, mentre l'intera ideologia marxista entrava ormai in pieno declino.

La stessa sinistra italiana dovette riconoscere il mutare dei tempi. Un primo passo sarebbe stata, di lì a poco, la decisione del Partito Comunista di cambiare la propria denominazione in quella di *Partito Democratico della Sinistra (P.D.S.)*, guidato da Massimo D'Alema, e di affiancare lo storico simbolo, falce e martello, con quello raffigurante una quercia.

Vi usciva tuttavia l'ala più radicale, per dare vita ad un nuovo partito, *Rifondazione Comunista*, destinato ad un ruolo determinante per la tenuta dei governi che si succederanno specie nella seconda metà degli anni Novanta.

Venti nuovi da Est

Come due sedoli prima la rivoluzione francese, i fatti del 1989 segnarono l'inizio di un nuovo periodo storico.

Ad uno ad uno crollarono come castelli di carta tutti i regimi dei paesi dell'Europa orientale, satelliti di Mosca. L'evento simbolo fu la demolizione del muro di Berlino, iniziata nel mese di novembre. Mentre in Romania si vivevano momenti drammatici alla fine di dicembre, con il processo sommario e la condanna a morte del dittatore Nicolaj Ciausescu e di sua moglie, sulla vicina Jugoslavia si addensavano le prime ombre della guerra civile e della seconda disgregazione.

L'anno seguente venne sciolto formalmente il Patto di Varsavia, che, per più quarant'anni, si era contrapposto al Patto Atlantico. Scomparve così la famigerata *Cortina di Ferro* che, dividendo l'Europa in due blocchi nonché la stessa Germania in due stati contrapposti, aveva permesso alle grandi potenze di controllare agevolmente la scena politica internazionale mascherando tutto ciò dietro a grandi parole quali *pace, sicurezza, cooperazione*.

La crisi del mondo comunista non rimase senza ripercussioni su quello capitalista, il quale aveva a lungo potuto prendere a pretesto la minaccia rossa per giustificare la propria politica anche quando essa presentava aspetti discutibili.

Significative furono le conseguenze di tutto ciò nella vita politica italiana. L'immobilismo partitocratico che sino a quel momento si era retto facendo anch'esso presa su un'opinione pubblica tollerante per timore del peggio, ora vide sciogliersi come neve al sole l'essenza stessa del proprio esistere. La gente si sentì finalmente libera di valutare scelte politiche nuove, mentre pesanti accuse al sistema giunsero pure dal Quirinale (sede della Presidenza della Repubblica), dove, nel 1985, era succeduto al socialista Sandro Pertini il democristiano Francesco Cossiga.

Anche l'imprenditoria gettò i primi timidi sguardi verso nuove frontiere di mercato. La Polonia fu la prima ad entrare nell'interesse di industriali e uomini d'affari italiani, e non si può negare che un ruolo di primo piano in questo stretto legame tra i due paesi lo ebbe quello che potremmo chiamare *effetto Wojtyla*, tanta fu l'importanza che la presenza del Papa polacco nell'avvio dei rapporti tra l'Italia ed i paesi dell'Est.

I primi mesi del 1991 videro la partecipazione italiana alla Guerra del Golfo contro l'Iraq, mentre la guerra in Jugoslavia e la secessione di Slovenia e Croazia dell'estate seguente posero l'Italia di fronte a nuovi problemi di politica estera.

Se con Lubiana, si accese un'animata disputa sulla restituzione dei beni ancora disponibili ai profughi italiani dell'Istria, che vedrà poi la destituzione dell'allora ministro degli Esteri sloveno, Lojze Peterle (forse perché troppo incline ad assecondare le richieste di Roma), sorsero ben presto sorti a Zagabria forti sospetti di un tacito accordo tra Italiani e Serbi per sottrarre l'Istria alla Croazia a favore dell'Italia. Un crescente malcontento circolava infatti tra la popolazione istriana per la situazione che si era creata dopo l'indipendenza da Belgrado, in seguito alla quale l'Istria, sin dai tempi di Tito croata nella sua parte centro-meridionale e slovena lungo il litorale settentrionale, sul golfo di Trieste, non si trovò più divisa dal semplice confine amministrativo tra due repubbliche della stessa federazione, ma da una vera frontiera tra nazioni indipendenti. Nacque così la "Dieta Democratica Istriana", una formazione politica che riscosse immediatamente notevole successo alle elezioni sia locali che dei parlamenti centrali, e che riuniva in sé non soltanto la minoranza italiana, ma la gran parte della stessa popolazione di lingua slava, egualmente poco propensa ad accettare passivamente le decisioni dei rispettivi governi ed incline a più intensi rapporti con la dirimpettaia Italia: qui stavano riprendendo fiato proprio le imprese delle regioni adriatiche, sia del Nord che del centro-Sud, per lo più piccole industrie, spesso a conduzione familiare, in grado di adeguarsi con relativa rapidità alle nuove prospettive, al riparo dalle tempeste sindacali e dalle prassi amministrative talvolta lunghe e farraginose delle loro sorelle maggiori dell'Italia Nord-occidentale, che, mediante le loro pressioni sugli ambienti economici e su quelli politici, erano riuscite a condizionare un po' tutta la vita istituzionale dell'Italia del dopoguerra.

"Tangentopoli" e gli anni della transizione

Il 17 febbraio 1992 un arresto per scandalo finanziario avvenuto a Milano passò ben presto dalla cronaca giudiziaria alla storia, poiché segnò l'inizio di una lunga serie di arresti e incriminazioni a carico di importanti personaggi della finanza, accusati di corruzione mediante il versamento di *tangenti* (compensi in denaroelargiti a scopo di corruzione) a pubblici funzionari e politici in cambio di concessioni a favore dei propri gruppi imprenditoriali.

L'inchiesta, condotta dal magistrato Antonio Di Pietro e denominata "*Mani pulite*", si estese rapidamente da Milano ad altre città d'Italia, tra le quali Roma e Napoli, abbattendosi pure sulla testa di numerosi parlamentari, alcuni dei quali erano stati anche ministri e presidenti del Consiglio.

La situazione peggiorò e si fece più tesa in quella stessa primavera del 1992, quando a Palermo, a distanza di qualche settimana l'uno dall'altro, furono uccisi in due attentati, assieme agli agenti di scorta, i giudici Giovanni Falcone e Paolo Borsellino, due magistrati impegnati in delicate indagini sulla criminalità organizzata in Sicilia.

Le elezioni politiche del 5 aprile videro un primo calo dei partiti tradizionali, mentre conseguì un notevole risultato la Lega Nord, guidata da Umberto Bossi, nata dall'aggregazione di diverse formazioni dell'Italia settentrionale la cui ala più radicale premeva per una secessione di quell'area di Roma, mentre i più moderati auspicavano la costituzione della penisola a stato federale e si impegnavano in una lotta senza sosta contro il peso della burocrazia e del fisco sui cittadini.

Intanto a Francesco Cossiga succedette al Quirinale Oscar Luigi Scalfaro.

Falcidiato dai provvedimenti giudiziari, il parlamento perse sempre di più la propria credibilità e da più parti se ne chiedeva a gran voce lo scioglimento seguito da nuove elezioni. La progressiva crisi dei partiti tradizionali divenne sempre più profonda durante tutto il 1992, mentre si preparavano a nascere nuove aggregazioni politiche.

Sulla scena internazionale, l'aggravarsi della crisi in Somalia non poteva lasciare indifferente l'Italia, legata a quel paese dal passato storico-coloniale.

La crisi scoppiò agli inizi dell'anno precedente con la deposizione del Presidente Siad Barre, appoggiato da Roma e in particolare dal Partito Socialista Italiano, sul quale si addensavano ormai le nubi della bufera giudiziaria, mentre al governo provvisorio somalo di Ali Maadi era ormai impossibile far fronte al progressivo disfacimento istituzionale del paese, in preda alle lotte tra tribù e fazioni rivali. A metà del 1992, lo stesso Ali Maadi chiese un'intervento italiano in Somalia per la fornitura di cibo. Roma rispose con una visita a Mogadiscio dell'allora ministro degli esteri, Emilio Colombo, mentre il timore di possibili reazioni da parte occidentale indusse Roma a rinunciare alla missione.

Ma l'acuirsi della crisi somala costrinse poi le stesse Nazioni Unite a proporre un intervento militare nel Corno d'Africa. A quel punto l'Italia diede il proprio assenso all'operazione inviando un proprio contingente militare, che si imbarcò per l'Africa il 13 dicembre del 1992.

L'intervento italiano in Somalia, che sarà in seguito causa di controversie diplomatiche specie con gli Stati uniti, e di inchieste giudiziarie sul presunto comportamento scorretto di alcuni suoi soldati, doveva significare inizialmente per l'Italia un'opportunità per affermare il proprio prestigio internazionale, mentre lo sgretolamento dell'apparato politico interno del paese era ormai inarrestabile.

Nei primi mesi del 1993 si dovette dimettere il governo presieduto dal socialista Giuliano Amato, ormai osteggiato sia da destra che da sinistra. Il nuovo presidente del Consiglio, Carlo Azeglio Ciampi, in precedenza governatore della Banca d'Italia, si impegnò a formare un governo di transizione, il cui compito preciso era quello di passare dal vecchio al nuovo assetto politico mediante l'approvazione della legge sul nuovo sistema elettorale, per certi versi simile a quello inglese, quindi sciogliere le Camere e indire le elezioni anticipate. La legge fu approvata in breve tempo.

Si era intanto intensificata l'attività della magistratura, mentre finirono in carcere personaggi di spicco della criminalità organizzata. Proseguirono anche i lavori dell'inchiesta "Mani pulite", con la scoperta di nuovi scandali. Le indagini raggiunsero gli stessi servizi segreti, mentre era l'estate del '93, quando alcune bombe esplosero a Roma, a Firenze e a Milano, provocando diverse vittime e danneggiando gravemente importanti monumenti storici.

Un'ondata di tensione scosse in quei giorni il paese, mentre si riparlò di cellule deviate dei servizi segreti quali responsabili delle stragi e di nuova *strategia della tensione*.

Il malcontento popolare esplose in occasione delle elezioni amministrative del tardo autunno in alcune importanti città italiane, tra cui Roma. Ne uscirono pesantemente sconfitti i vecchi partiti, dei quali la Democrazia Cristiana subì il tracollo maggiore.

Si affermò quasi ovunque la coalizione progressista, controbilanciata al Nord dalla Lega, altrove dal rinvigorito Movimento Sociale Italiano, che a Roma ed a Napoli ottenne la maggioranza relativa.

Era il preludio alle elezioni politiche del 27 marzo dell'anno successivo e di quelle per l'invio dei rappresentanti italiani al Parlamento Europeo, che videro l'affermarsi della coalizione di centro-destra, composta dalla Lega Nord, dal Movimento Sociale Italiano, ribattezzato "Alleanza Nazionale", e da un nuovo gruppo denominato *Forza Italia*: quest'ultimo era guidato dall'imprenditore lombardo Silvio Berlusconi, il quale formava il nuovo governo prefissandosi un programma di rilancio dell'imprenditoria italiana con una particolare attenzione alla piccola industria. Sorse però ben presto la disputa sulla compatibilità del mandato di Berlusconi quale presidente del Consiglio e il suo possesso delle maggiori emittenti televisive non-governative italiane, scatenando una serie di aspre polemiche, specie da parte delle forze politiche dell'opposizione e della stessa Lega Nord, la cui azione riusciva, nel novembre del 1994, a provocare la crisi e le dimissioni del governo, passando con lo schieramento delle sinistre: fatto che divenne noto come il "ribaltone", in seguito al quale il polo di centro-destra, noto anche come *Polo delle Liber-*

tà (P.d.L.) divenne gruppo di minoranza in parlamento, mentre l'economista fiorentino Lamberto Dini venne incaricato di formare un governo "tecnico", ossia composto da ministri scelti non in base alla loro formazione politica, ma soltanto per le riconosciute capacità nei compiti loro affidati. Tra essi vi fu, qualche mese più tardi, Antonio Di Pietro, uscito dalla Magistratura nel precedente mese di dicembre, qualche giorno prima del "Ribaltone". Gli verrà affidato l'incarico di ministro dei Lavori Pubblici.

Il nuovo gabinetto si insediò agli inizi del nuovo anno, nonostante la ferma opposizione delle destre, propense ad immediate nuove elezioni.

Non più riavutasi dalla disfatta elettorale dell'autunno precedente, cessò di esistere la Democrazia Cristiana e al suo posto si ricostituiva il vecchio Partito Popolare, dalla cui ridenominazione la D.C. stessa era nata. Intanto il nuovo P.P.I. diventò teatro di un'accesa disputa tra coloro che ne volevano lo schieramento a destra, tra i quali v'era lo stesso segretario, Rocco Buttiglione, e coloro che preferivano l'intesa con la sinistra. I due tronconi si allinearono rispettivamente nei due opposti schieramenti in occasione delle elezioni amministrative tenutesi il 23 aprile 1995 in 15 regioni italiane, in nove delle quali si affermò la coalizione progressista, confermando così il suo buon momento.

Seguì la spaccatura definitiva del P.P.I., con l'uscita dell'ala fedele a Rocco Buttiglione, la quale ha dato vita al gruppo dei Cristiano-Democratici Uniti (C.D.U.) che entrò a far parte della coalizione guidata da Berlusconi, con l'obiettivo di formarvi una più consistente aggregazione di centro mediante un forte legame con il *Centro Cristiano Democratico (C.C.D.)*, guidato dall'ex democristiano bolognese Pier Ferdinando Casini, e schierato sin dall'inizio assieme a Forza Italia e ad Alleanza Nazionale, formando con essi il *Polo delle Libertà (P.d.L.)*.

Ma la crisi del centro-destra era destinata a durare a lungo e a confermarla furono le elezioni politiche anticipate del 21 aprile del 1996, che videro la vittoria dell'Ulivo, simbolo adottato dalla coalizione di centro-sinistra, guidata dall'economista Romano Prodi, per molti anni a capo dell'*I.R.I. (Istituto di Ricostruzione Industriale)*. Fondato in epoca fascista, l'I.R.I. era l'organo attraverso il quale si svolgeva l'attività imprenditoriale dello Stato mediante il controllo di numerose industrie per le quali, tuttavia, la mutata situazione economica rendeva ora necessaria una graduale privatizzazione.

Determinante per il nuovo governo fu il ruolo di Rifondazione Comunista, ora guidata dall'ex-sindacalista Fausto Bertinotti, deciso a far sentire tutto il peso del proprio appoggio, fissando per esso precise condizioni, pena la sfiducia o la messa in crisi dell'esecutivo.

Nella primavera del 1997, trovò infatti la ferma opposizione degli uomini di Bertinotti la decisione del Governo di inviare una missione militare in Albania, ove una grave crisi politica aveva gettato il paese nel caos. Al veto comunista si contrappose l'appoggio del Polo delle Libertà, che in tal modo garantiva a Prodi l'assenso del Parlamento ad intrapprendere la missione.

Intanto in Italia il calo dell'inflazione mascherava a stento la crisi economica che Berlusconi ed i suoi non cessavano di imputare al governo in carica, accusandolo di soffocare con le tasse il settore più dinamico dell'economia italiana, costituito dalla piccola e media industria.

Tra le regioni particolarmente colpite erano quelle di nord-est, un tempo terra di forte emigrazione, riscattatesi durante tutto il secondo dopoguerra grazie al fiorire di centinaia di piccole e medie imprese che facevano ora di quell'area una delle più ricche d'Italia.

Ad esprimere in maniera forte il malcontento della gente del Nord-Est era un gruppo di attivisti veneti i quali, nella notte tra il 9 ed il 10 maggio, raggiunsero il campanile di San Marco a Venezia e vi issarono la bandiera dell'antica repubblica veneta, mentre, interferendo sulle frequenze della radio e della televisione locali, diffondevano proclami inneggianti la secessione da Roma.

Arrestati otto ore più tardi dai carabinieri, gli autori del singolare atto furono in seguito processati. Benché condannati ad alcuni anni di carcere, riottennero dopo breve tempo la libertà.

Quasi contemporaneamente ai fatti di Piazza San Marco, si votò per le amministrazioni locali in alcune importanti città tra cui Milano, ove si insediò una giunta di centrodestra guidata dall'imprenditore Gabriele Albertini, che ne divenne sindaco, succedendo a Marco Formentini, esponente della Lega Nord. Quest'ultima si fece sentire sul finire dell'estate con una serie di manifestazioni concluse il 14 settembre a Venezia con un atto di volontà di giungere all'indipendenza delle regioni padane in uno stato federale, la *Padania*, separato da Roma.

L'autunno si aprì con una grave calamità che si abbatté sull'Italia centrale la mattina del 27 settembre, quando un violento terremoto rase al suolo interi abitati delle Marche e dell'Umbria, e rimasero seriamente danneggiati la Basilica ed il convento di San Francesco ad Assisi.

L'evento sismico aggravò ulteriormente la già difficile posizione del governo Prodi che, il 10 ottobre successivo diede le dimissioni; ma l'intervento del presidente Scalfaro persuase il capo del Governo a ritirarle quattro giorni più tardi.

A rasserenare gli animi in seno alla maggioranza fu, all'inizio di dicembre, la buona tenuta del centro-sinistra in alcune importanti amministrazioni locali per il cui rinnovo si andò alle urne. Altrettanto bene si attestava al Nord la Lega, mentre, nonostante il successo ottenuto la primavera precedente a Milano ed in altri comuni, stentava a riprendere quota il centro-destra, impegnato a dipanare una serie di attriti interni.

Ma a tener banco, in quell'inizio d'inverno, fu il malcontento che serpeggiava tra gli operatori agricoli e dell'allevamento, con le manifestazioni di protesta dei produttori caseari ai quali si imputava una produzione di latte ben al di sopra della quantità consentita in sede europea, con la conseguente condanna al pagamento di pesanti contravvenzioni. Gli allevatori accusavano il governo di Roma di non aver tenuto adeguatamente conto delle loro richieste in ambito comunitario e di esporli ora al rischio di un vero salasso finanziario.

Tutto cominciò al Nord, con blocchi al traffico stradale e ferroviario. La protesta si era quindi estesa e, il 14 dicembre, si decise di raggiungere Roma a bordo dei trattori. Giunti alle porte della capitale, la singolare carovana venne fermata dalle forze dell'ordine, mentre i trattori vennero posti per qualche giorno sotto sequestro.

La nascita, il successivo 13 gennaio, del *Movimento del Nord-Est* su iniziativa delle forze legate allo stesso centro-sinistra guidate dal sindaco di Venezia, Massimo Cacciari, costituì la prova ulteriore di un malumore presente non più soltanto a destra o nella Lega ma anche in una fascia sempre più ampia dell'opinione pubblica locale. Il persistere dell'elevata pressione fiscale convinse un numero sempre maggiore di imprenditori veneti a trasferire le proprie industrie in paesi in tal senso più favorevoli, come quelli dell'Europa orientale.

Iniziò così il 1998. Il 5 febbraio un aereo militare americano in forze presso una base N.A.T.O. in Friuli, mentre sorvolava a bassissima quota una valle del Trentino, tranciò con la coda i cavi di una funivia facendo precipitare la cabina e provocando una ventina di morti tra i passeggeri. Il fatto innescò un'accesa disputa tra la magistratura italiana e le autorità americane competenti, resa ancor più difficile dalla scarsa collaborazione da parte dei diretti responsabili dell'accaduto, colpevoli , secondo i magistrati romani, di aver volato ad una quota inferiore a quella consentita.

Sul versante politico, vi era un'aspra presa di posizione contro la permanenza in Italia delle basi militari americane e N.A.T.O., visto che non c'era più *la guerra fredda*. Benché la polemica avesse dei sostenitori in diverse aree del pensiero politico, principale portavoce ne fu Rifondazione Comunista, erede delle posizioni antioccidentali del vecchio P.C.I., ed in antitesi con il P.D.S. favorevole all'alleanza atlantica, ed ora in procinto di un ulteriore cambiamento di identità.

Al congresso di Firenze del 13 febbraio, gli uomini di D'Alema mutarono la propria denominazione in quella di *D.S.* (Democratici di Sinistra), mentre la falce ed il martello, ancora presenti, accanto alla quercia, nel simbolo del partito, vi uscirono definitivamente, sostituiti dall'immagine di una rosa.

Ora, se il grosso della sinistra italiana guardava al proprio futuro in termini decisamente nuovi, il malessere delle classi più disagiate riproponeva, specie tra i giovani, temi e discorsi di una sinistra dal volto anarchico che sembrava ormai appartenere al passato. Accadde a Torino ad opera del movimento *squatter*, del quale due membri finirono in carcere per atti di sabotaggio alle strutture della ferrovia ad alta velocità in costruzione tra Torino e la frontiera francese. La successiva morte per suicidio dei due esponenti portò al massimo la tensione in città, con disordini ed atti di esasperazione nei confronti di strutture pubbliche e della stessa pubblica informazione.

Il 1º maggio ebbe luogo a Bruxelles la riunione in seguito alla quale l'Italia, assieme ad altri 10 paesi dell'Unione Europea, entrò a far parte del primo gruppo di paesi che avrebbero adottato una moneta comune, l'Euro, un traguardo a lungo perseguito e che ora incontrava l'ampia soddisfazione tra i massimi vertici della politica, mentre non mancava di destare perplessità e dubbi tra la gente comune. Analogamente, il traguardo dell'Euro non portò alla maggioranza di governo l'atteso consolidamento alle elezioni amministrative del giugno successivo, che videro invece, in alcune importanti città e province italiane il successo del centro-destra, malgrado le vicende che ne rendevano la vita difficile, ad iniziare da quelle giudiziarie nel cui turbine erano finiti alcuni personaggi di spicco di Forza Italia.

Fine di un quarantennio

Il crollo delle borse in Asia ed in America Latina, che scosse la finanza mondiale sul finire dell'estate del 1998, non mancò di far sentire i propri echi anche in Italia, dove il ritorno alla stagnazione economica, unito alla posizione del governo divenuta nuovamente precaria, riproponeva temi che la pausa estiva aveva lasciato in sospeso.

Il 13 settembre, ad un anno dalla prima grande manifestazione, la Lega Nord tornò a Venezia per annunciare la creazione del primo, per altro virtuale, *Governo Padano* e l'inizio delle trasmissioni di *Telepadania*, mentre l'ala veneta della Lega divorziò da Bossi e ricostruì la *Liga Veneta*, preesistente alla Lega stessa.

Il 5 ottobre il governo Prodi rassegnò le dimissioni e, il giorno 16, venne incaricato di formare il nuovo dicastero Massimo D'Alema, mentre la segreteria dei D.S. passò al suo vice, Walter Veltroni.

Ma il nuovo gabinetto fece appena in tempo ad insediarsi che, meno di un mese più tardi, l'Italia fu al centro di una crisi diplomatica con la Turchia. A provocare l'incidente fu, la notte tra il 12 e il 13 novembre, l'arrivo in Italia di Abdullah Ocalan, capo del Partito Comunista nonché dei separatisti del Kurdistan (regione divisa tra la Turchia, l'Iran, l'Iraq e la Siria). Accompagnato da un esponente di Rifondazione Comunista, Ocalan, sul quale pendeva un mandato di cattura internazionale del governo turco e di quello tedesco per gravi atti di terrorismo, giunse con un aereo da Mosca a Roma, ove si era consegnato alle autorità italiane con il proposito di chiedere asilo politico.

Il fatto scatenò violente reazioni da parte dei nazionalisti turchi che ad Istambul manifestarono dinanzi al consolato generale d'Italia, dando pure alle fiamme un esemplare del Tricolore, mentre veniva chiesto a gran voce il blocco delle importazioni di prodotti italiani.

Alla richiesta del governo turco di estradizione del massimo esponente kurdo, seguì la ferma opposizione di quello italiano, il quale, in osservanza della stessa Costituzione repubblicana, non avrebbe potuto acconsentire l'estradizione verso un paese, come la Turchia, in cui si sarebbe prospettata per l'estradato una condanna alla pena capitale.

Con il governo D'Alema si schierarono le istituzioni europee, mentre in parlamento i partiti di centro-destra sostenevano a spada tratta le istanze di Ankara.

Rimaneva la possibilità di estradare Ocalan in Germania, ma alla rinuncia delle autorità tedesche, l'Italia si trovò sola a decidere. Il 16 dicembre, Ocalan venne perciò liberato a pieno titolo e, il 16 gennaio del 1999, lasciò l'Italia. Un mese più tardi venne arrestato in Kenia da agenti dei servizi segreti turchi e, ricondotto in Turchia, venne rinchiuso nel carcere di Imrali, dove, qualche mese più tardi, ebbe luogo il processo per tradimento e separatismo, il quale si concluse con la pronuncia della sentenza di morte.

Nonostante il giudizio fortemente negativo sulla decisione dei magistrati turchi, il governo italiano fu tuttavia consapevole della necessità di non poter continuare a mantenere rapporti tesi con Ankara. Ad una lettera inviata il 28 luglio a questo proposito dal primo ministro italiano, D'Alema, al collega turco, Ecevit, quest'ultimo rispose il 6 agosto successivo in termini favorevoli alla distensione dei rapporti tra i due paesi. Dopo tutto, la sentenza di morte per Ocalan non era stata ancora eseguita né era stata fissata una data per essa, mentre, lo stesso 6 agosto, il P.K.K., annunciò che, proprio su appello dello stesso Ocalan, avrebbe cessato la propria attività, ritirandosi dalla Turchia a partire dal successivo 1° settembre. Due settimane più tardi, un viaggio del ministro degli Esteri italiano, Dini, ad Ankara rilanciò i rapporti bilaterali di quest'ultima con Roma.

Una nuova crisi nei Balcani ebbe per centro il Kosovo, regione della Serbia e perciò appartenente a quel che restava della vecchia Jugoslavia. Situato al confine con l'Albania e popolato in maggioranza da albanesi, ma egualmente legato alla storia e all'epica nazionale serba, il Kosovo divenne alla fine teatro di violenti scontri tra le milizie di Belgrado.

La conferenza di Rambouillet, presso Parigi, per trovare una soluzione alla crisi, fallì e, alla fine di marzo, la N.A.T.O. iniziò una serie di bombardamenti aerei sulla Jugoslavia per indurre il presidente, Slobodan Milosevic, a ritirare dal Kosovo le proprie truppe.

L'Italia contribuì per lo più all'operazione sul piano logistico e difensivo, piuttosto che in azioni dirette di bombardamento. Sebbene contraria alla politica di Milosevic, Roma ebbe con la Jugoslavia importanti rapporti economici, fondamentali per la sua presenza attiva nell'area balcanica. Bisogna dunque essere cauti. Così facendo, l'Italia, benché membro della N.A.T.O., riuscì a non essere formalmente dichiarata paese nemico da Belgrado ed a mantenervi operativa la propria ambasciata.

Attiva era invece la partecipazione italiana agli interventi umanitari in Albania, dove giungevano a migliaia i profughi albanesi del Kosovo, mentre, agli inizi di giugno, la fine delle ostilità ed il ritiro degli Jugoslavi dalla regione, posero quest'ultima sotto l'amministrazione N.A.T.O., col conseguente dispiegamento di contingenti militari di diversi paesi, tra cui l'Italia.

Quanto alla politica interna, le elezioni europee del 13 giugno si chiusero con un vero quanto inaspettato tracollo della coalizione al governo. A mitigare il trauma giunse, il 15 settembre, la reinvestitura di Romano Prodi a capo della Commissione Europea, carica che egli ricopriva all'interno dell'esecutivo dell'Unione Europea già dall'inizio della primavera, dopo che una serie di inchieste costrinse alle dimissioni il suo predecessore, Jacques Santer. Ci si convinse pertanto in quel frangente che il governo italiano in carica dovesse ricercare il proprio prestigio in campo internazionale, e non soltanto nei Balcani. All'arrivo dell'autunno, altri militari italiani si imbarcarono, sotto l'egida delle Nazioni Unite, per la lontana isola di Timor, la cui parte orientale, dichiaratasi indipendente mediante un regolare plebiscito, era divenuta teatro di violenti massacri da parte di coloro che ne volevano la permanenza all'Indonesia.

Il 29 settembre, due importanti leggi vennero approvate dal Parlamento italiano, dopo lunghi anni di attesa e di acceso dibattito. Si trattava della legge che consentiva alle donne di arruolarsi nell'esercito e di quella che, dopo quasi un cinquantennio di discussioni e di rinvii, ammetteva al voto i cittadini italiani residenti all'estero.

Una nuova tempesta si abbatté ai vertici delle Istituzioni e dell'informazione quando, durante la prima metà di ottobre, dall'archivio privato di Vasilij Mitrokhin, un exfunzionario del KGB sovietico, giunsero in Italia attraverso i servizi segreti britannici una serie di incartamenti (dossiers) che contenevano i nomi di uomini politici e di giornalisti italiani legati per lo più alla sinistra e che, stando a quelle fonti, avrebbero operato con i servizi segreti di Mosca durante la Guerra Fredda.

Il fatto poneva a serio rischio la credibilità della maggioranza di governo, contestata questa volta non soltanto dall'opposizione di centro-destra, ma anche dal proprio interno, dove riprendevano forza i Socialisti Democratici Italiani, eredi del vecchio Partito Socialista Italiano di Bettino Craxi. Esule volontario ad Hammamet, in Tunisia, per sottrarsi alle condanne emesse anche a suo carico durante le inchieste su "Tangentopoli", seriamente malato, Craxi aveva chiesto invano clemenza in vista di un ritorno in Italia per sottoporsi alle cure ospedaliere, ricevute poi in Tunisia con la supervisione di personale medico italiano. Morì poco tempo dopo, il 17 gennaio del 2000. Ciò diede al risorto gruppo socialista ulteriori spunti per corrodere dall'interno la maggioranza di centro-sinistra, accusata per altro di avere dalla propria parte la stessa Magistratura.

Si giunse così al mese di dicembre, mentre l'aumento dell'inflazione, dovuto principalmente ad una serie inarrestabile di rialzi del prezzo del petrolio sul mercato mondiale, complicò ulteriormente la situazione, aggiungendo alla crisi politica il crescente malcontento della gente, stanca di promesse mai mantenute, tranne quelle di nuovi rincari e di nuove tasse.

Proprio in quei giorni, la maggioranza di governo venne accusata di accaparrarsi, in cambio di denaro, l'adesione di alcuni parlamentari usciti da altri schieramenti minori. Fu subito scandalo e, malgrado le ripetute smentite, il 18 dicembre, Massimo D'Alema salì al Quirinale per comunicare le dimissioni del proprio governo al Capo dello Stato, il quale gli riconfermò tuttavia il mandato. Ma la crisi fu soltanto rinviata. Il 19 febbraio 2000 Polo di centro-destra e Lega Nord di Bossi diedero vita ad una nuova alleanza in vista delle imminenti elezioni amministrative regionali. Queste si tennero il 16 aprile in quindici regioni italiane e la nuova compagine, che assumeva il nome di Casa delle Libertà (C.d.L.), guidata da Silvio Berlusconi, vinse in ben otto di esse.

Per la maggioranza di centro-sinistra fu un duro colpo. Il giorno seguente D'Alema si dimise e, a formare il nuovo esecutivo, venne incaricato quattro giorni più tardi Giuliano Amato, già a Palazzo Chigi negli anni caldi di "Mani pulite" e che ora avrebbe dovuto presiedere il Consiglio dei Ministri sino alla scadenza naturale della *legislatura* (periodo di carica del Parlamento) nella primavera del 2001. Il nuovo esecutivo si insediò alla fine di aprile, con una maggioranza ormai in crisi, divisa nel proprio interno, con Rifondazione Comunista sempre più decisa ad operare autonomamente in vista delle nuove elezioni politiche nazionali.

Nemmeno le celebrazioni del grande Giubileo della Chiesa Cattolica, con l'Italia e soprattutto Roma meta per milioni di pellegrini da tutto il mondo, valsero a ridare lustro all'immagine dell'ormai esausta maggioranza. Ritardi e inesattezze nei lavori di preparazione alle celebrazioni misero a dura prova l'amministrazione della capitale, con a capo il sindaco, Francesco Rutelli, nominato per la circostanza Commissario Straordinario per il Giubileo, alla guida di una giunta analoga alla coalizione di governo nazionale. Lo stesso Rutelli venne presentato il 21 ottobre a Milano come il candidato primo ministro del centro-sinistra all'incontro programmatico dell'Ulivo in vista del voto dell'anno successivo.

Favorita dai pronostici, l'ascesa del centro-destra in Italia preoccupava tuttavia fortemente gli ambienti politici ed economici occidentali, come del resto era già accaduto durante il breve governo Berlusconi del 1994, quando in qualche paese europeo l'ostilità fu davvero evidente.

Ad alimentare poi oltre modo le paure d'oltr'Alpe fu questa volta l'ascesa nell'ottobre 1999 dell'estrema destra alle elezioni parlamentari in Austria ad opera del Partito Popolare di Jörg Haider, ostile all'Unione Europea e al processo di globalizzazione economica. Una svolta a destra dell'Italia avrebbe certamente significato una maggior attenzione di questa ai propri interessi nazionali, condizionando indubbiamente l'azione di Bruxelles e degli altri gruppi di pressione internazionali verso Roma, con conseguente maggior peso di quest'ultima in Europa e nel Mediterraneo.

Il 2001 ha visto poi la presidenza italiana di due importanti organizzazioni: una è stata il forum degli otto paesi più industrializzati del mondo, noto come G8, che si sarebbe riunito a Genova nel mese di luglio. L'altra è stata invece l'Iniziativa Centroeuropea (INCE), un'organizzazione di collaborazione politico-economica formatasi gradualmente a partire dagli anni '90 tra l'Italia e i paesi dell'Europa centro-orientale e di cui Trieste ha ospitato gli organismi centrali, una sorta di nuova grande Mitteleuropa che, dallo "Stivale", arriva ormai sino all'Ucraina ed alla Russia Bianca.

Si è giunti nel frattempo alle tanto attese elezioni politiche del 13 maggio. La coalizione di centro-destra ha ottenuto la maggioranza assoluta sia alla Camera che al Senato, contemporaneamente si è votato per il rinnovo delle amministrazioni di alcune province e numerosi comuni, tra cui Milano, Napoli, Torino e la stessa Roma, ove Walter Veltroni, segretario dei DS, era il candidato sindaco per l'Ulivo. Questi si è imposto di stretta misura, come pure i suoi colleghi di Napoli e Torino, ove, come del resto a Roma, il centro-sinistra è già stato in carica durante il precedente mandato. Diversamente sono andate le cose a Milano con la rielezione pressoché plebistitaria a sindaco di Albertini, mentre decine di comuni precedentemente amministrati dal centro-sinistra, sono passati ora agli avversari.

INDICE

L'ETÀ MODERNA

L'ETÀ CONTEMPORANEA

Finito di stampare nel mese di settembre 2001
da Guerra guru s.r.l. - Via A. Manna, 25 - 06132 Perugia
Tel. +39 075 5289090 - Fax +39 075 5288244
E-mail: geinfo@guerra-edizioni.com